비유와
기적

KB055509

The Gospel Project for **Students** is published quarterly by LifeWay Christian Resources,
One LifeWay Plaza, Nashville, TN 37234, Thom S. Rainer, President
© 2017 LifeWay Christian Resources
Translated and used by permission of LifeWay Christian Resources

This Korean translation edition © 2018 by Duranno Ministry,
38, Seobinggo-ro 65-gil, Yongsan-gu, Seoul, Republic of Korea
Published by arrangement with LifeWay Christian Resources

본 저작물의 한국어판 저작권은 LifeWay Christian Resources와 독점 계약한 두란노서원에 있습니다.
신 저작권법에 의거하여 한국 내에서 보호를 받는 저작물이므로 무단 전재와 무단 복제를 금합니다.

가스펠 프로젝트

신약 **2**

비유와 기적
중고등부 교사용

지은이 · LifeWay Students
옮긴이 · 문우일
감수 · 김병훈, 류호성, 곽상학
초판발행 · 2018년 7월 11일
2판 1쇄 발행 · 2024년 3월 7일
등록번호 · 제1988-000080호
등록된 곳 · 서울특별시 용산구 서빙고로65길 38
발행처 · 사단법인 두란노서원
영업부 · 02-2078-3352, 3452, 3781, 3752 FAX 080-749-3705
편집부 · 02-2078-3437
디자인 · 땅콩프레스

책값은 뒤표지에 있습니다.
ISBN 978-89-531-4679-2 04230 / 978-89-531-4671-6(세트)

가스펠 프로젝트 홈페이지 · gospelproject.co.kr
두란노몰 · mall.duranno.com

차례

발간사 *5* / 감수사 *6* / 추천사 *8* / 일러두기 *10*

비유로 말씀하신 예수님 　첫 번째 이야기　 마태복음, 마가복음, 누가복음

01
씨 뿌리는 농부는
땅을 가리지 않아!
11

02
용서의 블랙홀이
되고 싶니?
21

03
영생의 증거를
보여 봐
33

04
잃어버린 두 아들
43

05
꼿꼿한 사람 옆의
고개 숙인 사람
53

06
내 아들까지
해치려느냐?
63

기적을 베푸신 예수님 　두 번째 이야기　 마태복음, 마가복음, 요한복음

07
붉은 잔에 담긴 사인
73

08
하늘의 떡을
먹어 봤니?
85

09
왜 두려워하니?
내가 있는데
95

10
너의 죄를 사한다
105

11
모두가 두려워 떠는 분
115

12
두렵니? 못 믿겠니?
난 누구도 놓지 않아
125

13
다시 사는 것을 믿니?
135

부록1 하나님 나라 비유 *20* / **부록2 신약성경에 나타난 구약성경의 말씀** *32* / **부록3 예수님이 베푸신 기적** *84*

부록4 천사와 귀신에 관한 질의 응답 *124* / **부록 5 예수님의 사역 지도** 뒤표지

2

Stories and Signs

발간사

두란노서원을 통해 라이프웨이(LifeWay)의 《가스펠 프로젝트》 성경 공부 교재 시리즈를 발간할 수 있도록 인도하신 하나님께 감사드립니다. 험한 소리로 가득한 세상에 이 책을 다릿돌처럼 놓습니다. 우리 삶은 말씀을 만난 소리로 풍성해져야 합니다. 주님을 만난 기쁨의 소리, 진실 앞에서 탄식하는 소리, 죄를 씻는 울음소리, 소망을 품은 기도 소리로 가득해야 합니다.

《가스펠 프로젝트》는 신구약을 관통하는 예수 그리스도의 복음을 발견하고, 그 가르침을 삶에 적용하는 지혜를 얻도록 기획한 성경 공부 교재입니다. 어린아이부터 어른에 이르기까지 생애 주기에 따른 복음 메시지를 잘 배울 수 있습니다. 또한 거짓 진리가 미혹하는 이 시대에 건강한 신학과 바른 교리로 말씀을 조명하여 성도의 신앙이 좌로나 우로나 치우치지 않도록 돕습니다.

두란노서원은 지금까지 "오직 성경, 복음 중심, 초교파적 관점"을 바탕으로 한국 교회와 성도를 꾸준히 섬겨 왔습니다. 오직 성경의 정신에 입각해 책과 잡지를 출판해 왔으며, 성경에 근거한 복음 중심의 신학을 포기한 적이 없습니다. 그리고 교단과 교파를 초월하여 교회와 성도가 하나님 나라를 바라볼 수 있도록 돕기 위해 노력해 왔습니다. 《가스펠 프로젝트》는 두란노가 지켜 온 세 가지 가치를 충실하게 담은 책입니다.

성경은 구원을 위한 책이며, 구원사의 주인공은 예수 그리스도입니다. 창세기부터 요한계시록까지 오직 예수 그리스도의 복음만을 전하는 《가스펠 프로젝트》 성경 공부 교재를 통해 복음의 은혜와 진리를 깊이 경험하고, 복음 중심의 삶이 마음 판에 새겨지기를 바랍니다. 그리고 예수 그리스도 복음에 굳게 선 한 사람의 영향력이 가정과 교회와 사회에 흘러감으로써 거룩한 하나님 나라가 확산되어 가기를 소망합니다.

두란노서원 원장 이 형 기

감수사

두란노가 출간하는 《가스펠 프로젝트》는 무엇보다도 전통적으로 교회가 풀어 온 흐름을 충실히 따라 성경을 해설하고 있습니다. 그리고 그 방향은 궁극적으로 예수 그리스도를 향해 나아가고 있습니다. 이것은 예수님이 구약과 신약의 모든 성경이 자신을 가리키고 있다고 하신 말씀에 비추어 매우 타당한 것입니다. 게다가 그리스도 중심적 해설을 무리하게 전개하지 않습니다. 각 본문에서 하나님의 구원 언약과 그것을 실현하시는 하나님을 드러내면서, 그리스도의 예표적 설명이 가능한 사건을 놓치지 않고 풀어내고 있습니다.

성경 공부 교재는 명시적으로 혹은 암시적으로 제시하는 교리적 진술이 교리 체계상 건전해야 합니다. 《가스펠 프로젝트》는 99개 조에 이르는 핵심 교리들을 일목요연하게 제시하여 교리의 건전성을 확인할 수 있도록 도움을 줍니다. 《가스펠 프로젝트》의 교리는 교파를 막론하고, 예수 그리스도의 복음에 충실한 복음주의 교회들에게 환영받을 만합니다. 물론 교파마다 약간의 이견을 갖는 부분들이 있을 수 있겠지만 각 교회에서 교재를 활용하는 데에 무리가 없을 것으로 판단합니다. 《가스펠 프로젝트》의 특징은 각 과에서 학습한 내용을 핵심 교리와 연결해 주며, 그 결과 그리스도의 복음과 관련한 교리적 이해를 강화시킨다는 데에 있습니다.

끝으로 《가스펠 프로젝트》는 어떤 성경 주해서나 교리 학습서가 갖지 못하는 훌륭한 장점을 가지고 있습니다. 그것은 학습자를 하나님과 그리스도의 복음 앞으로 나오도록 이끌며 자신의 신앙과 삶을 돌아보도록 하는 적용의 적실성과 훈련의 효과입니다. 아울러 선교적 안목을 열어 주는 적용 질문도 《가스펠 프로젝트》에서 얻을 수 있는 커다란 유익입니다.

《가스펠 프로젝트》는 성경을 개괄적으로 매주 한 과씩, 3년의 기간 동안 일목요연하게, 그리고 그리스도 중심적으로 공부하도록 이끌어 준다는 점에서 한국 교회의 기초를 성경 위에 놓는 일에 대단히 커다란 공헌을 할 것으로 믿어 의심치 않습니다.

김병훈 _ 합동신학대학원대학교 조직신학 교수

하나님의 말씀이 임하는 곳에는 회복의 역사가 있어서 죽은 뼈들도 힘줄이 생기고 살이 오릅니다(겔 37:8). 왜냐하면 하나님의 말씀은 그 자체에 능력이 있기 때문입니다(눅 1:37). 곧 하나님의 말씀은 살아 있고 활력이 있어 좌우에 날선 어떤 검보다도 예리하여 혼과 영과 및 관절과 골수를 찔러 쪼개기까지 하며 또 마음의 생각과 뜻을 판단합니다(히 4:12). 이렇게 하나님의 말씀이 왕성해지면 국가는 자연적으로 정의와 사랑이 넘쳐나며(렘 9:24), 교회는 제자의 수가 많아지는 놀라운 부흥을 경험합니다(행 6:7). 결국 하나님의 말씀이 흘러넘쳐 온 우주를 적실 때에 악한 세력들은 모두 물러가고, 새 하늘과 새 땅이 우리에게 다가올 것입니다.

이를 위해 작은 등불의 역할을 할 《가스펠 프로젝트》는 다음과 같은 특징이 있습니다. 첫째는 성경 전체를 '그리스도 중심'으로 바라본 것입니다. 오실 그리스도(구약)와 오신 그리스도 그리고 앞으로 다시 오실 그리스도(신약)의 관점에서 구약성경과 신약성경을 서로 연결시켰습니다. 그래서 구약성경을 단지 유대 민족의 역사서로 보는 편협함에서 벗어나, 그 속에 담긴 놀라운 하나님의 구원 역사를 보게 합니다. 둘째는 같은 본문으로 교회와 가정 그리고 전 연령층에서 그리스도의 사랑을 배우게 합니다. 이는 특히 가정에서 부모와 자녀가 서로 신앙적으로 소통할 기회를 제공하고 사랑과 정의를 실천하는 성숙한 그리스도인으로 성장하도록 이끌어 줍니다. 셋째는 신학적 주제와 기초 교리를 이해하기 쉽게 설명한 것입니다. 그래서 사이비 이단이 번져 가는 상황에서 매우 중요한 영적 분별력을 향상시키는 데 도움을 줍니다. 넷째는 배운 것을 복음의 씨앗을 뿌리는 선교와 연결시키며 하나님이 주신 사명을 실천하도록 이끄는 것입니다. 이는 복음의 열정을 회복시켜 줍니다.

그러므로 모든 교단과 교파를 초월해서, 하나님의 섬세한 구원의 손길과 그리스도의 숭고한 십자가의 사랑 그리고 거룩함으로 인도하는 성령님의 인도하심을 배울 수 있을 것입니다. 그래서 《가스펠 프로젝트》를 통해 하나님의 말씀이 한반도에 흘러넘칠 뿐만 아니라, 복음의 열정을 품고 전 세계로 향하는 많은 전도자들을 세워 갈 것입니다.

류호성 _ 서울장신대학교 신약학 교수

✝   일반적으로 교육의 3요소를 교육 주체인 교사, 교육 객체인 학생, 교육 내용인 교육 과정(curriculum)이라고 말합니다. 기독교 교육 또한 교회 학교 교사나 가정의 부모가 교육 주체가 되어 다음 세대인 청소년에게 복음이 담긴 성경을 가르치는 것입니다. 교육 과정을 제외하고는 공교육과 기독교 교육이 본질적으로

다를 수 없는데, 시대의 요청이나 학습자의 역량에 따라 교육 과정이 바뀌는 공교육과 달리, 성경이라는 절대 진리가 교육 과정인 기독교 교육은 수요자 중심의 창의적 상호 작용 등 교육 방법론에 취약점을 보인 것이 사실입니다.

《가스펠 프로젝트》는 객관론적인 인식론에 근거한 프로젝트 수업을 염두에 두었기 때문에, 안내하고 조력하는 교사의 역할 수행과 자연스럽고도 적극적인 학생들의 반응이 만나 성경의 내용을 '지금 그리고 여기'를 사는 '나'와 접목시켜 진지하게 대면하게 합니다. 매 과마다 청소년 설교 제목과 같은 감각적인 제목으로 문을 열고 들어가 'HIS STORY'를 만나게 됩니다. 그뿐 아니라 다소 지루할 수 있는 성경의 이야기를 청소년 특유의 감성으로 제시하는 '연대표', '알짬 교리 99' 등은 그들의 지적 호기심을 채워 주기에 충분합니다. 또한 '그리스도와의 연결'로 구속사적 흐름을 놓치지 않고 그리스도의 복음을 충실히 따르고 있습니다. 영원불변하는 하나님의 말씀이 21세기에 대한민국에서 살아가는 중학생, 고등학생의 실제 이야기로 잘 구현되도록 한 'YOUR STORY', 그리고 'HEAD'(생각)와 'HEART'(마음)가 어떻게 'HANDS'(행동)로 이어지는가에 대한 'YOUR MISSION'은 성경 공부의 매우 중요한 연결 고리가 될 것입니다.

《가스펠 프로젝트》는 그리스도 중심의 성경 공부 교재이자, 성경 전체를 꿰뚫는 복음의 알파와 오메가로서 이 시대에 새로운 기독교 교육의 이정표가 될 것을 확신합니다.

곽상학 _ 안양제일교회 목사

추천사

우리 시대의 전 세계적 교회 부흥은 두 가지 샘을 가지고 있습니다. 한 샘은 오순절 부흥 운동의 샘입니다. 이 샘으로 많은 시대의 목마른 영혼들이 목마름을 해갈했습니다. 또 하나의 샘은 성경 연구의 샘입니다. 남침례교 주일학교 운동은 이 샘의 개척자입니다. 이 샘으로 지금도 많은 성도가 목마름을 해갈하고 있습니다. 미국 남침례교 라이프웨이 출판사는 이러한 사역을 충실히 감당해 왔습니다. 《가스펠 프로젝트》는 모든 필요를 공급하는 원천이 될 것입니다. 《가스펠 프로젝트》로 한국 교회의 목마름이 해갈되기를 기도합니다. 《가스펠 프로젝트》는 쉬우면서도 결코 피상적이지 않습니다. 믿음의 단계를 따라 하나님의 자녀들에게 꼭 필요한 복음의 진수를 맛보게 해 줄 것입니다. 이 체계적인 교재로 이 땅에 새로운 영적 르네상스가 일어나기를 기대합니다.

이동원 _ 지구촌교회 원로목사, 지구촌 미니스트리 네트워크 대표

성경은 그 깊이와 너비를 측량하기 어려운 광활한 바다입니다. 이 바다를 무턱 대고 항해하다 보면 장구한 역사의 파도와 다양한 문학 양식이라는 바람에 의해 표류하기 쉽습니다. 그런 점에서 《가스펠 프로젝트》는 참 훌륭한 나침반입니다. 건전한 교리를 바탕으로 성경 어디에서나 그리스도를 발견하도록 돕고, 복음이라는 항구에 이르도록 이끌어 줍니다. 구약시리즈뿐 아니라 신약시리즈 역시 말씀의 바다를 항해하는 모든 분들에게 큰 유익을 줄 것입니다. 기쁜 마음으로 추천합니다.

허요환 _ 안산제일교회 담임 목사

성경은 예수 그리스도를 중심으로 하는 하나님의 구원 이야기입니다. 성경을 가르치는 일은 하나님의 구원에 동참하는 하나님의 사람을 만드는 일이며, 하나님의 사람의 탁월한 모델은 바로 예수 그리스도입니다. 《가스펠 프로젝트》는 예수 그리스도를 중심으로 성경을 배웁니다. 성경이 어떻게 그리스도와 연결되어 있는지, 또 성도의 삶이 그리스도를 중심으로 하는 하나님의 구원 계획에 어떻게 연결되어야 하는지 구체적으로 제시합니다.

특히 《가스펠 프로젝트》는 하나의 본문을 각 연령에 맞게 구성한 교재를 제공해 하나의 본문으로 전 세대를 연결하고, 가정과 교회를 하나 되게 합니다. 신앙의 전수가 중요한 시대에 성도와 교회와 가정이 한마음으로 다음 세대를 준비시키기에 적합합니다. 특히 가정에서 부모가 자녀와 말씀으로 대화를 나눌 수 있게 해 자녀 신앙 교육에 도움이 될 것입니다.

《가스펠 프로젝트》가 주일학교부터 장년에 이르기까지 전 교회와 성도의 각 가정에서 사용되어 예수 그리스도를 통한 하나님의 가스펠 프로젝트가 성취되기를 기도하면서 기쁨과 확신으로 추천합니다.

이재훈 _ 온누리교회 담임 목사

✜　《가스펠 프로젝트》는 성경을 예수 그리스도 중심으로 심도 있게 살피도록 도우면서, 또한 그것을 이야기 형식으로 제시하며 실질적으로 적용하도록 이끄는 탁월함이 보입니다. 이는 청소년들이 자연스럽게 주변 또래들에게 자신이 경험한 예수 그리스도와 복음에 대해 나눌 수 있게 합니다.

왕동식 _ 서울YFC(십대선교회) 대표, 청소년사역자협의회 회장

✜　《가스펠 프로젝트》는 복음주의적인 관점에서 성경을 이해하며 성경적 가치관을 형성하는 데 큰 도움을 줍니다. 특히 예수 그리스도를 모든 과에서 그 중심에 두어 구속사적으로 이해할 수 있도록 돕습니다. 또한 각 과별 주제도 친근할 뿐 아니라 다음 세대의 눈높이에 맞추고 있어서 적극 추천합니다.

황성건 _ (사)청소년선교횃불 대표, 소금과빛 국제학교 운영 이사

✜　사역 현장에서는 하나님의 말씀을 효율적으로 가르칠 수 있는 좋은 방법과 교재에 늘 목말라 합니다. 그런 점에서 그 필요를 잘 충족해 줄 교재가 출간되어 기쁜 마음으로 추천합니다.

김운용 _ 장로회신학대학교 실천신학 교수

✜　《가스펠 프로젝트》는 하나님의 말씀으로 우리를 초청해서 예수 그리스도를 만나게 하고 사랑하게 만드는 훌륭한 교재입니다. 자녀들이 교회 학교에서, 부모들이 소그룹에서 말씀을 공부한 후에 저녁 식탁에 둘러앉아 예수님에 대해 함께 나눌 수 있다는 것은, 상상만 해도 너무나도 멋지고 복된 일입니다.

김지철 _ 전 소망교회 담임 목사

✜　성경이 가르치는 구원의 도리인 교리를 성경 본문을 통해 배우기가 쉽지 않기 때문에 좋은 안내서가 필요합니다. 《가스펠 프로젝트》는 이와 같은 역할을 탁월하게 수행하고 있기 때문에 기쁜 마음으로 추천합니다.

이성호 _ 고려신학대학원 역사신학 교수

✜　《가스펠 프로젝트》는 어린이부터 장년까지 성경에서 예수님이라는 보석을 찾는 눈을 활짝 열어 주는 놀라운 교재입니다. 각 연령대에 맞게 구성된 본 교재를 통해 예수님을 다시 발견하고 한국 교회가 더욱 견고하게 되기를 바랍니다.

최병락 _ 강남중앙침례교회 담임 목사

일러두기

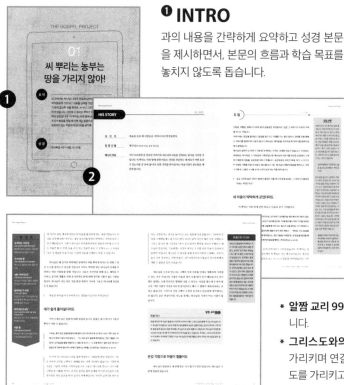

❶ INTRO

과의 내용을 간략하게 요약하고 성경 본문을 제시하면서, 본문의 흐름과 학습 목표를 놓치지 않도록 돕습니다.

❷ HIS STORY

하나님의 구속사에 초점을 맞춰 성경을 이해하도록 하며, 다음과 같은 특징이 있습니다.

---

* **students** 왼편에 'students' 글씨와 함께 회색 세로줄이 있는 단락은 학생용 교재와 동일한 부분입니다. 학생용 교재의 모든 내용이 교사용에도 실려 있습니다.
* **연대표** 성경을 시간 순으로 이해하도록 살피는 표로, 학생용 교재에서는 그림도 함께 제공합니다.
* **본문으로 더 깊이** 이야기 속으로 더 깊이 들어가도록 돕는 성경 주해입니다. 이 자료를 어떤 식으로 활용할 것인지는 교사의 재량에 달려 있으며, 참고만 해도 괜찮습니다.
* **알짬 교리 99** 매 과의 본문 내용과 관련된 기독교 핵심 교리입니다.
* **그리스도와의 연결** 각 과의 주제가 어떻게 예수 그리스도를 가리키며 연결되는지 살피는데, 이를 통해 모든 성경이 그리스도를 가리키고 있음을 강조해 줍니다.

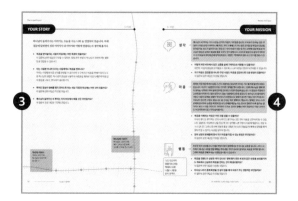

❸ YOUR STORY

하나님이 과거에 행하신 일을 오늘날과, 그리고 학생 자신과 연결하도록 돕는 토론 질문을 제시합니다. 매 질문마다 교사에게 주는 조언이 첨부되어 있습니다.

❹ YOUR MISSION

그리스도인으로서 어떻게 살아가야 할지 하나님의 이야기를 통해 생각하고 변화를 경험하도록 이끕니다. 단순한 성경 공부를 넘어 사명감을 가지고 이 세상을 살아가야 할 것을 강조하면서 하나님께 순종하도록 돕습니다.

✱

가스펠 프로젝트 홈페이지 자료실 gospelproject.co.kr 에 있는 다양한 자료를 활용해 보세요.
- **십대와 나누는 믿음의 대화** 학생들과 폭넓게 나눌 수 있도록 본문의 요점, 질문, 명언을 제시합니다.
- **교사 지도 가이드** 교사에게 필요한 본문에 대한 설명과 지도 방향 등을 동영상으로 제공합니다.
- **가족성경읽기표** 본문에도 나오는 연대기적 성경 통독 일정이, 온가족이 보기 좋게 정리되어 있습니다.

교사 지도 가이드

01

씨 뿌리는 농부는 땅을 가리지 않아!

요 약

이 과에서는 하나님 나라가 어떻게 임하는지에 대해 예수님이 제자들에게 가르치신 내용을 살펴볼 것입니다. 예수님은 농부가 땅에 골고루 씨를 뿌리듯, 누구나 그분의 말씀을 들을 수 있게 하셨습니다. 그런데 그 결과는 뿌려진 말씀보다 받는 마음에 따라 달랐습니다. 씨 뿌리는 자와 땅에 관한 예수님의 비유는 우리가 복음을 전할 때 어떤 이는 믿음으로 영접하고 어떤 이는 영접하지 않는 까닭이 무엇인지를 생각해 보게 합니다.

성 경

마가복음 4장 1~8절, 14~20절

HIS STORY

포 인 트	복음을 들을 때 사람들은 저마다 다르게 반응한다.
등 장 인 물	예수님(하나님의 아들, 성자 하나님)
메시지 좌표	이미 우리에게 잘 알려진 이야기로 예수님의 비유를 살펴보는 탐사를 시작할 것입니다. 씨 뿌리는 자와 땅에 관한 비유는 진리를 전달하는 데 비유가 어떤 효과가 있는지를 잘 보여 줍니다. 또한 진리를 받아들이는 마음가짐이 중요함을 깨닫게 합니다.

도 입 〉 5~10분

모험담, 여행담, 영화나 드라마 등의 공통점은 무엇일까요? 답은 그 이야기가 우리의 주목을 끄는다는 것입니다.

이야기에는 영감을 불어넣고 열정을 일으키고 지혜를 주는 힘이 있어서, 진리를 전할 때에도 이야기를 들려주면 도움이 됩니다. 예수님도 제자들을 가르치실 때 이야기를 들려주실 때가 많았습니다.

예수님이 들려주신 이야기 가운데 '씨 뿌리는 자'라는 유명한 비유가 있습니다. 이 비유는 마태복음, 마가복음, 누가복음에 기록되었는데, 예수님의 이야기를 비슷한 관점에서 소개하기 때문에 이들을 '공관복음'이라고 부릅니다. 공관복음의 저자인 마태, 마가, 누가가 모두 자세히 기록할 만큼 이 비유는 중요합니다. 이는 하나님이 어떻게 말씀을 뿌리시고, 우리가 어떻게 그 좋은 소식을 받거나 받지 않게 되는지를 알려 줍니다.

▶ 설교 시간에 들은 이야기 중에서 좋았던 것을 하나씩 말해 보세요. 그 이야기가 좋았던 이유는 무엇인가요?

네 마음이 딱딱하게 굳었더라도

씨 뿌리는 자와 땅에 관한 비유는 다음과 같이 시작됩니다.

> [1]예수께서 다시 바닷가에서 가르치시니 큰 무리가 모여들거늘 예수께서 바다에 떠 있는 배에 올라앉으시고 온 무리는 바닷가 육지에 있더라 [2]이에 예수께서 여러 가지를 비유로 가르치시니 그 가르치시는 중에 그들에게 이르시되 [3]들으라 씨를 뿌리는 자가 뿌리러 나가서 [4]뿌릴새 더러는 길가에 떨어지매 새들이 와서 먹어 버렸고 … [14]뿌리는 자는 말씀을 뿌리는 것이라 [15]말씀이 길가에 뿌려졌다는 것은 이들을 가리킴이니 곧 말씀을 들었을 때에 사탄이 즉시 와서 그들에게 뿌려진 말씀을 빼앗는 것이요 (막 4:1~4, 14~15)

예수님은 무리의 주의를 끌며 이야기하기 시작하셨습니다. 씨 뿌리는 자에 관한 이야기였는데, 이 비유에서 씨 뿌리는 자는 예수님이십니다. 예수님은 하나님 나라가 가까이 왔다는 (참조, 막 1:14~15) 말씀을 전하셨습니다. 그런

students (세로 텍스트, 왼쪽 여백)

도입 선택

어린아이가 "안 돼"라는 말을 들었을 때, 어떻게 반응하는지 관찰해 본 적이 있나요? 잠자코 뿌루퉁하거나, 떼를 쓰거나, 바닥을 발로 차거나, 소리를 지르기도 합니다. 이때 어른들은 어떻게 반응할까요? 눈동자를 굴리거나 문을 꽝 닫거나 "혼자 그러고 있어라!" 하고 거친 말을 할 수도 있을 것입니다. 그런데 안 된다는 말을 듣고 감사하는 사람도 있습니다.

· *권위자에게서 "안 돼"라는 말을 듣고도 감사해 본 적이 있나요?*

같은 말을 듣고도 사람들은 저마다 다르게 반응합니다. 살아가면서 어떤 일을 겪었는가에 따라, 얼마나 듣고 싶었던 말인가에 따라 반응이 달라집니다. 예수님은 씨 뿌리는 자와 땅에 관한 비유를 들려주며 다음과 같은 사실을 드러내셨습니다. 복음에 전혀 반응하지 않는 사람도 있고, 반응했다가 어려운 일을 만나면 넘어지는 사람도 있고, 예수님의 말씀과 새로운 생활 방식을 전폭적으로 받아들이는 사람도 있습니다. 그런데 우리에게는 예수님의 말씀을 접한 사람이 어떻게 반응하는가에 대한 책임은 없지만, 예수님의 말씀을 전할 책임은 있습니다.

· *복음을 전하다가 만나게 되는 어려움에는 무엇이 있을까요?*
· *복음을 전하다가 지칠 때, 멈추지 않고 계속할 수 있도록 위로와 격려를 주는 것은 무엇인가요?*

연 대 표

씨 뿌리는 자와 땅
THE SOWER AND THE SOILS
말씀을 들은 사람들이 보일 반응을 예수님이 알려 주시다.

무자비한 종
THE UNMERCIFUL SERVANT
예수님이 용서에 대해 알려 주시다.

선한 사마리아인
THE GOOD SAMARITAN
예수님이 이웃을 어떻게 사랑해야 하는지에 대해 알려 주시다.

잃어버린 두 아들
TWO LOST SONS
방탕하고 자기 의에 집착하는 형제를 통해 예수님이 하나님의 은혜를 알려 주시다.

바리새인과 세리
THE PHARISEE AND THE TAX COLLECTOR
예수님이 자기 의의 위험에 대해 알려 주시다.

악한 종
THE WICKED TENANTS
예수님이 하나님의 심판과 회개의 필요성을 알려 주시다.

데 이것은 로마 제국과 빌라도의 마음을 불편하게 하는 내용이었습니다. 하나님 나라에 대한 이야기는 세상 통치자들에게는 반역하는 것처럼 들릴 수 있기 때문입니다. 그래서 예수님은 무리에게 비유로 말씀하시며 볼 눈이 있는 자들만 볼 수 있게, 들을 귀가 있는 자들만 들을 수 있게(막 4:11~12) 하셨습니다. 즉 영접할 마음이 있는 사람만 비유를 이해하고 따를 수 있습니다.

하나님은 왜 길가의 딱딱해진 땅에까지 씨를 뿌리게 하시는지, 대체 그 땅은 누구를 말하는지 궁금할 것입니다. 아마도 딱딱한 땅은 하나님의 존재를 부인하는 세상 사람들을 말할 것입니다. 그들은 자신만을 위해 살고, 쾌락을 추구하고, 분주한 생활로 인해 초자연적인 분에 대해 생각할 겨를이 없는 사람들입니다. 하나님이 아닌 다른 것을 향한 욕망이 가득한 그들은 하나님께 관심을 두지 않습니다.

복음을 받아들이지 못하게 하는 걸림돌이 있다면 무엇일까요?

네가 쉽게 돌아설지라도

이어서 예수님은 돌밭에 대해 말씀하십니다. 돌밭은 흙이 얕아서 식물의 뿌리가 자랄 수 없습니다.

5더러는 흙이 얕은 돌밭에 떨어지매 흙이 깊지 아니하므로 곧 싹이 나오나 6해가 돋은 후에 타서 뿌리가 없으므로 말랐고 … 16또 이와 같이 돌밭에 뿌려졌다는 것은 이들을 가리킴이니 곧 말씀을 들을 때에 즉시 기쁨으로 받으나 17그 속에 뿌리가 없어 잠깐 견디다가 말씀으로 인하여 환난이나 박해가 일어나는 때에는 곧 넘어지는 자요(막 4:5~6, 16~17)

이 이야기는 하나님 나라를 쉽게 영접하는 사람들에 관한 것입니다. 그들은 신속히 신앙을 고백하고 세례를 받는 것에 거리낌이 없습니다. 그런데 예수님은 그들의 이면을 지적하셨습니다. 그들은 예수님을 만나고 나서 죄를 고백한 후 기쁨을 얻기도 하지만, 힘겨운 삶의 문제를 만나면 자신들의 오랜 친구였던 죄의 습관을 따라 쉽사리 죄에 빠집니다. 자신의 십자가를 져야 한다는 소명보다는 과거로 돌아가고 싶은 욕망에 사로잡힙니다. 그리하여 신앙을 고백했음에도 불구하고 얼마 지나지 않아 자신이 했던 신앙 고백을 포기하고 맙니다. 왜 그럴까요? 흙이 깊지 않아서 뿌리를 내리지 못했다는 예수님의 말씀처럼, 그들에게는 신앙과 제자도가 자랄 만한 믿음이 충분하지 않았던 것입니다. 예수님은 이 비유를 통해 우리가 아무리 노력해도 어떤 마음은 너무 얄팍하고, 어떤 마음은 너무 피상적이어서 복음이 견고하게 뿌리내릴 수 없음을 알려 주셨습니다.

예수님을 구주로 믿는다는 고백의 진위 여부를 언제나 정확하게 가려낼 수 있는 것은 아닙니다. 사람은 마음과 말이 다를 때가 있기 때문입니다. 즉시 맺은 열매는 오래 무르익은 열매와 다를 수 있다는 사실을 염두에 두어야 합니다. 어떤 사람이 이전과 다르게 살아간다고 해서 그 변화가 계속되리라는 보장은 없습니다. 그러므로 신앙 고백이 구원의 증거라고 단순하게 생각해서는 안 됩니다. 슬픈 현실이지만, 성도들 중에도 하나님의 가족이 아닌 사람이 많습니다.

본문으로 더 깊이

예수님의 말씀에서 씨 뿌리는 자는 어디에나 편견 없이 씨를 뿌렸고, 심지어 '길가'에도 뿌렸습니다. 1세기의 밭은 21세기의 밭과 달랐습니다. 당시에는 밭과 길을 구분하지 않았으므로 사람들이 밭으로 다니기도 했습니다. 한 구역의 밭에도 길이 여러 개나 있었고, 길이 되어 짓밟힌 흙은 지나다니는 사람들의 무게로 굳어지곤 했습니다. 밟혀서 딱딱해진 땅에 떨어진 씨는 뿌리를 내릴 수 없으므로 배고픈 새들의 먹이가 되기 쉬웠습니다. 이 새들은 마가복음 4장 15절에 나오듯, 들은 말씀을 훔치는 '사탄'을 의미합니다.

알짬 교리 99

특별 계시

특별 계시란 하나님이 말씀이나 역사적 사건이나 예수 그리스도를 통해 주시는 하나님의 자기 계시를 가리킵니다. 인간은 특별 계시를 통해 하나님의 성품과 뜻을, 창조의 목적과 구원 계획 등을 알게 됩니다. 특별 계시에는 하나님의 속성과 성품이 드러납니다. 하나님이 이러한 방식으로 자신을 계시해 주시기에 우리가 하나님을 알 수 있습니다. 즉 예수 그리스도의 위격과 사역 안에서 우리에게 구원을 주시는 하나님과 관계를 맺음으로써 우리는 하나님을 알아 갈 수 있습니다.

온갖 걱정으로 마음이 힘들어도

예수님이 말씀하신 세 번째 땅은 가시 떨기가 덮인 땅입니다. 예수님은 이렇게 말씀하셨습니다.

students

[7]더러는 가시 떨기에 떨어지매 가시가 자라 기운을 막으므로 결실하지 못하였고 … [18]또 어떤 이는 가시 떨기에 뿌려진 자니 이들은 말씀을 듣기는 하되 [19]세상의 염려와 재물의 유혹과 기타 욕심이 들어와 말씀을 막아 결실하지 못하게 되는 자요 (막 4:7, 18~19)

자세히 보면, 이 땅은 앞의 두 땅과 달랐습니다. 길가의 딱딱한 땅과 돌밭에는 씨가 뿌리를 내릴 흙이 부족했지만, 가시 떨기가 많은 땅에는 성장에 필요한 흙이 충분했습니다. 충분한 흙이 없었다면 가시 떨기도 번성하지 못했을 것입니다. 흙에는 작물을 생산할 능력이 있었으나, 가시 떨기가 씨의 성장을 막았습니다. 이 땅을 닮은 사람들이 교회를 위험에 빠뜨립니다. 왜냐하면 자신은 회개했으며 하나님의 백성들(양들)에 속했다고 믿고 있지만, 실은 하나님의 원수들(잃어버린 자들/염소들)이기 때문입니다(참조, 마 25:31~46). 그들은 다른 것들을 사랑하므로 하나님 나라의 열매를 맺지 못합니다. 그들은 열매를 맺지 못한다고 예수님이 나무라신 무화과나무와도 같습니다(참조, 막 11:12~14).

앞의 두 땅과 달리, 가시 떨기가 가득한 땅에서는 씨가 뿌리를 내릴 수 있을 것만 같습니다. 새들이 씨를 빼앗아 갈 수도 없기에 건강하게 뿌리를 내릴 수 있을 것처럼 보입니다. 그러나 이 땅은 쾌락을 향한 갈망만 있고, 자기 십자가를 지고 가라는 부름을 충실하게 따르는 믿음을 보이지 않습니다. 삶에 놓인 잡초 탓에 씨가 자라지 못합니다. 바깥으로만 다니느라 열매와 곡식을 생산하지 못합니다. 자신의 선택을 예수님보다 우선으로 여깁니다. 그럴 때 사람은 세속적인 꿈을 따르거나 쓸데없는 걱정에 빠지게 됩니다.

몇 배의 결실을 맺기도 하니까

복음을 확신하며 그것을 열심히 전하는 그리스도인이라도 열매가 보이지 않으면 좌절에 빠지기도 합니다. "내가 뭔가 잘못하는 것이 분명해. 아무도 복음을 받아들이지 않을 것 같아." 예수님은 이런 의구심에 대답해 주시며 씨 뿌리는 자의 비유를 마무리하셨습니다. 농부는 척박한 땅에 씨를 뿌렸을 때에는 수확하지 못했지만, 똑같은 씨를 좋은 땅에 뿌리자 놀랍도록 큰 수확을 얻었습니다.

● students

> [8]더러는 좋은 땅에 떨어지매 자라 무성하여 결실하였으니 삼십 배나 육십 배나 백 배가 되었느니라 하시고 [9]또 이르시되 들을 귀 있는 자는 들으라 하시니라 … [20]좋은 땅에 뿌려졌다는 것은 곧 말씀을 듣고 받아 삼십 배나 육십 배나 백 배의 결실을 하는 자니라 (막 4:8~9, 20)

그러므로 씨를 뿌릴 때 낙심하지 마십시오. 실제로 수확할 땅이 있으니 힘을 내십시오. 이 비유에서 농부는 좋은 땅만 골라서 특별히 다른 것을 뿌린 것이 아닙니다. 농부가 수확할 수 있었던 것은 씨 뿌리는 전략을 바꾸었기 때문이 아니라, 땅이 뿌려진 씨를 받아들였기 때문입니다. 우리는 가리지 않고 어디에나 씨를 뿌리도록 부름 받았습니다.

작물 수확량은 다양할 수 있습니다. 어떤 씨는 30배, 어떤 것은 60배, 또 어떤 것은 100배의 결실을 맺습니다. 수확량에 차이가 있더라도 그리스도인은 서로 질투해서는 안 됩니다. 하나님이 각 사람에게 다른 은사를 주셨기 때문입니다. 고린도전서 12장 12~31절에서 바울이 몸에 관한 비유를 들어 지적한 것도 바로 이런 내용입니다. 성령님은 신자들에 따라 다양하게 일하시므로, 어떤 이는 많은 은사를, 어떤 이는 적은 은사를 받을 수 있습니다. 그러나 우리는 모두 성령으로 변화되고, 성령과 함께하는 새로운 피조물로 열매를 맺는다는 점에서 차이가 없습니다.

그리스도와의 연결

● students

씨 뿌리는 자의 비유는 세 가지 진실을 알려 줍니다. 첫째, 예수님은 말씀이 모든 사람에게 선포되어야 한다고 가르쳐 주셨습니다. 예수님이 죽었다가 부활하셔서 우리의 죄와 허물을 대속하셨다는 복음을 전할 사명이 우리에게 있습니다. 둘째, 사람들이 우리가 전하는 하나님 나라와 복음을 거부할지라도 죄책감을 느낄 필요는 없습니다. 셋째, 소수의 사람만 말씀을 영접하는 열매를 맺더라도 우리는 이것으로 만족해야 합니다. 그리스도에 관한 진리를 나누는 우리의 노력이 누군가에게 영향을 끼칠 것임을 의심하지 말아야 합니다.

YOUR STORY

하나님이 들려주시는 이야기는 오늘을 사는 나와 늘 연결되어 있습니다. 아래 질문에 답하면서 성경 이야기가 내 이야기와 어떻게 연결되는지 생각해 봅시다.

▶ **복음을 받아들이는 사람의 마음에는 어떤 특징이 있을까요?**
이 질문에 관한 대답은 다양할 수 있지만, 죄에 관한 부분과 하나님과 화해하려는 열망 등을 언급할 수 있습니다.

▶ **아는 사람뿐 아니라 모르는 사람에게도 복음을 전하나요?**
우리는 사람들의 마음 상태를 분별할 수 없으므로 누구에게나 복음을 전해야 합니다. 또한 하나님의 성령은 하나님의 말씀을 사용하여 사람들을 회개로 이끌기 때문에 차별 없이 말씀을 나누는 것이 매우 중요합니다.

▶ **뿌려진 말씀이 열매를 맺지 못하도록 하는 세상 걱정과 욕심에는 어떤 것이 있을까요?**
이 질문에 관한 대답은 다양할 것입니다.

▶ **예수님이 들려주신 씨 뿌리는 자의 비유에서 배울 것은 무엇일까요?**
이 질문에 관한 대답은 다양할 것입니다.

하나님의 이야기
하나님이 그분의 아들 예수 그리스도를 통해 우리를 구속해 주신 이야기

우리의 이야기
우리의 이야기가 하나님의 이야기와 만나는 곳

YOUR MISSION

생 각

예수님의 씨 뿌리는 자의 비유는 인격적 차원의 가르침을 줍니다. 이 비유가 뜻하는 것은 무엇보다 마음 상태가 어떠하냐에 따라, 우리가 예배드리거나 성경 공부를 할 때 들은 말씀을 받아들이는 정도가 달라진다는 것입니다. 우리 마음이 처음 세 가지 상태에 있을 때 들은 하나님의 말씀은 삶에서 결실할 틈을 도무지 얻지 못합니다. 그러므로 말씀으로 들어가기에 앞서 자기 마음과 생각에 관해 정직하게 묻고, 적절한 기준에 따라 짚어 보고 분석할 필요가 있습니다.

● 어떻게 하면 비유에서 얻은 교훈을 삶에 구체적으로 적용할 수 있을까요?
예컨대, 마음이 말씀을 받아들일 수 있도록 스스로 내면을 성찰하며 준비할 수 있습니다.

● 자기 마음도 점검할 뿐 아니라 주변 사람도 마음을 점검하도록 도울 방법이 있을까요?
이 질문에 관한 대답은 다양할 것입니다.

마 음

염려와 걱정 때문에 예수님을 근근이 사랑하는 정도라면 우리는 가시 떨기에 떨어진 씨와도 같습니다. 자신이 '구원받았다'라고 믿지만, 열매를 맺지 못합니다. 그런데 예수님은 열매 맺지 못하는 나무마다 찍혀 불에 던져질 것이라고 분명히 말씀하셨습니다. 이 말씀은 주일마다 교회에 출석하면서도 별로 달라지지 않는 사람에게 경종을 울립니다. 예수님으로 말미암아 거듭난 사람의 삶에는 성령이 역사하시기 마련입니다. 열매가 없다면 거듭난 것이 아닙니다. 거듭남이 없으면 구원도 없습니다. 참 신자는 적은 열매라도 맺습니다. 열매란 그리스도의 은혜에 감사하며 순종할 때 맺게 됩니다. 은혜를 깨닫는 자는 감사의 열매가 비록 많지는 않더라도 반드시 있을 것입니다. 여러분이 드리는 감사의 열매는 어떤 것일까요? 작은 것이라도 부끄러워하지 말고 각각 살펴봅시다.

● 복음을 이해하는 마음은 어떤 것을 얻을 수 있을까요?
우리가 좋다고 생각하는 것과 나쁘다고 생각하는 것은 모두 마음을 산만하게 할 수 있습니다. 질병이나 학교에서 남을 못살게 구는 일처럼 나쁜 것들이 마음에 해롭다는 것을 누구나 압니다. 그러나 동시에 인생의 좋은 것들도 하나님의 말씀을 방해해서 열매를 맺지 못하게 할 수 있다는 사실을 알아야 합니다.

● 영적 성장의 방해물에 맞서 자기 마음을 지킬 수 있는 방법은 무엇일까요?
이 질문에 관한 대답은 다양할 것입니다.

행 동

본문은 땅의 상태를 보고 씨를 뿌릴지 말지 결정해서는 안 된다는 교훈을 줍니다. 그리스도 안에서 하나님 나라를 전할 때에는 뿌리내릴 기미가 보이지 않더라도 복음을 뿌려야 합니다. 그래야 복음을 전해야 하는 사명을 완수할 수 있습니다.

다음 모임까지
열왕기하 21장;
역대하 33장;
나훔 1~3장을
읽어 보세요.

● 복음을 전했다가 실망한 적이 있나요? 열매 맺지 못한 세 땅과 같은 반응을 보였을지라도 계속해서 신실하게 복음을 전하는 것이 왜 중요할까요?
이 질문에 관한 대답은 다양할 것입니다.

● 하나님 나라가 좀체 확장될 것 같지 않을 때 이 비유가 주는 영향력은 무엇일까요?
이 질문에 관한 대답은 다양할 것입니다.

하나님 나라 비유

비유	본문	내용	하나님 나라의 특징
씨 뿌리는 자	마태복음 13:1~9, 18~23 마가복음 4:1~9, 13~20 누가복음 8:4~8, 11~15	- 성경에 예수님의 설명이 기록됨 - 비유에 대한 구체적 해석	하나님 나라에 관한 말씀(복음)은 복된 소식을 사모하고 이해하는 마음 밭에서만 열매를 맺음. 그러나 밭을 가리지 않고 씨를 뿌리듯이 말씀은 누구에게나 전해져야 함
알곡과 가라지	마태복음 13:24~30, 36~43	- 성경에 예수님의 설명이 기록됨 - 비유에 대한 구체적 해석	때가 차서 종말에 아버지의 나라가 임하면 불의한 '악한 자의 자녀들'은 심판과 저주를 받아 지옥에 가지만, 의로운 '하나님 나라의 자녀들'은 하나님 나라에서 복을 받고 영화롭게 됨
겨자씨/ 누룩	마태복음 13:31~33 누가복음 13:18~21 (참조, 마가복음 4:30~32)	- 비슷한 의미를 담은 두 편의 비유	하나님 나라는 작게 시작하지만, 세상에 매우 큰 영향을 끼치다가 마침내 온 세상에 스며듦
감춰진 보화/ 값진 진주	마태복음 13:44~46	- 비슷한 의미를 담은 두 편의 비유	하나님 나라는 우리가 가진 모든 것을 희생해 참여할 만한 가치가 있음
무자비한 종	마태복음 18:21~35	- 확장된 이야기 - 용서에 관한 베드로의 질문에 대답하심	하나님 나라는, 하나님께 받은 한없는 용서를 알기에 다른 사람들을 마음으로부터 용서하는 사람들로 이루어짐
악한 농부들	마태복음 21:33~46 마가복음 12:1~12 누가복음 20:9~19	- 자신들에게 경고하는 비유임을 바리새인들이 알아차림 - 비유에 대한 구체적 해석	하나님 나라는 그 나라의 열매를 맺는 사람들로 이루어져 있음. 하나님의 아들 예수님을 거절함으로써 하나님을 위한 열매를 맺지 못하는 사람들은 하나님 나라에 참여하지 못함
선한 사마리아인	누가복음 10:25~37	- 확장된 이야기 - "무엇을 하여야 영생을 얻으며, 내 이웃은 누구인가"라는 율법 교사의 질문에 대답하심	하나님 나라는 경계를 넘어 다른 사람들에게 자비를 베풀고 이웃이 되어 주는 사람들로 이루어져 있음
잃었다가 다시 찾는 비유들	누가복음 15장	- 비슷한 의미를 담은 비유들 - 예수님이 죄인을 영접하고 음식을 같이 먹는다며 비판한 바리새인과 서기관들에게 말씀하심	
잃어버린 양/ 잃어버린 동전	누가복음 15:1~10	- 값진 것을 잃었다가 다시 찾는 것에 관한 짧은 비유들	하나님 나라는 죄인 한 명의 회개도 기뻐하심
잃어버린 아들(들)	누가복음 15:11~32	- 확장된 이야기 - 비유에 대한 대략적인 해석 - 돌아온 탕자만큼이나 형에게도 큰 의미가 있음	하나님 나라는 회개하는 죄인을 기뻐하므로, 죄인이 회개하는 것을 기뻐하지 않는 사람은 하늘나라에 들어갈 수 없음
바리새인과 세리	누가복음 18:9~14	- 짧은 비유 - 자기 의에 취해 다른 사람들을 얕보는 사람들에게 말씀하심	하나님 나라는 하나님 앞에서 자신을 낮추고 자기 구원을 위해 오로지 하나님의 자비만을 의지하는 사람들로 이루어져 있으며, 자신을 낮추는 자들은 높이 올라가고 자신을 높이는 자들은 낮아짐

02

용서의 블랙홀이 되고 싶니?

요 약

이 과에서는 예수님이 들려주시는 무자비한 종의 비유를 통해 용서에 대해 배울 것입니다. 예수님을 따르는 이들은 훨씬 더 많은 빚을 탕감받았으므로, 다른 이를 용서하도록 초대받은 사람들입니다. 다른 이들을 용서하는 일은 풍성한 복음을 드러내는 것이며, 하고 싶을 때만 이따금씩 해도 되는 것이 아닙니다. 그리스도인은 예수님이 거저 용서해 주신 사실을 기억하며, 용서하기 어려운 사람들을 용서하는 데까지 나아가야 합니다.

성 경

마태복음 18장 21~35절

HIS STORY

포 인 트	그리스도인은 자신이 용서받은 대로 다른 사람을 용서할 줄 알아야 한다.
등 장 인 물	예수님(하나님의 아들, 성자 하나님)
메시지 좌표	이번 본문은 용서에 관한 비유입니다. 예수님은 하나님이 우리를 용서해 주셨으므로 우리도 다른 사람을 용서하라고 하셨습니다. 악한 종은 엄청난 빚을 탕감받았음에도 불구하고 자기에게 빚진 사람에게 용서를 베풀지 않았습니다. 이 비유는 하나님이 모든 사람에게 용서를 베푸시는 것을 알면서도 도무지 용서하지 않는 사람의 악한 마음을 적나라하게 드러내면서 통렬한 교훈을 우리에게 효과적으로 전달하고 있습니다.

도입)

우리는 복수를 이상적 가치로 여기는 세상에서 살고 있습니다. 마침내 복수하여 자기 식으로 '정의'를 구현한 이야기가 영화나 책으로 만들어져 대중매체를 통해 인기를 끕니다. 이런 일을 우리는 주변에서 쉽게 볼 수 있을 뿐만 아니라 우리 내면에서도 감지할 수 있습니다. 의식적이건 무의식적이건 우리에게 잘못하거나, 우리를 무시하거나, 베푼 호의를 되돌려 주지 않거나, 빌린 것을 갚지 않거나, 기대에 못 미치게 행동하는 사람에게 여러 방식으로 위협을 가합니다.

▶   최근 우리 사회에서 복수를 강조하는 소리를 들어본 적이 있다면 언제 어디서였나요? 사람들이 그처럼 복수를 좋아하는 까닭은 무엇이라고 생각하나요?

기독교의 핵심 진리 가운데 하나는 우리가 용서를 받았다는 것입니다. 죄의 명부는 예수님이 십자가에서 이루신 공로로 깨끗이 씻겼습니다. 그런데 우리는 앞으로 나아가지 못하고 제자리에 멈춰 서서 자신이 용서받은 대로 다른 사람을 용서하는 데 실패하곤 합니다. 다음 단계로 나아가는 것이 얼마나 중요한가를 밝히기 위해 예수님은 용서와 심판에 관한 극적인 이야기를 들려주시며 좀처럼 용서하지 못하는 사람의 마음을 보게 하셨습니다.

대체 몇 번이나 용서하면 되겠느냐고?

◦ students   마태는 그리스도인이 자기에게 죄를 저지른 다른 그리스도인을 어떻게 대해야 하는가에 관한 예수님의 가르침을 전했습니다.

◦ students   [21]그때에 베드로가 나아와 이르되 주여 형제가 내게 죄를 범하면 몇 번이나 용서하여 주리이까 일곱 번까지 하오리이까 [22]예수께서 이르시되 네게 이르노니 일곱 번뿐 아니라 일곱 번을 일흔 번까지라도 할지니라(마 18:21~22)

◦ students   용서가 무엇인지에 대해 자신의 말로 정의해 봅시다. 그것은 본문에서 예수님이 하신 말씀과 얼마나 일치하나요?

도입 선택

용서라는 말을 들으면, 어떤 생각을 하게 되나요? 어떤 사람은 이렇게 말할 것입니다. "당한 만큼 해 줘라." 또는 이런 말을 듣게 될지도 모릅니다. "그런 짓을 하다니 그를 절대로 용서할 수 없어." 아니면 이런 말을 들을 수도 있습니다. "이제 그만 용서하고 잊으세요."

· 용서하는 내용이 담긴 이야기를 들어본 적이 있나요?
· 누군가를 용서하기 어려웠던 적이 있었나요? 무슨 일이 있었나요? 왜 그렇게 용서하기 어려웠나요?

성경에 나오는 용서는 다른 세상에서는 들을 수 없는 전혀 다른 것입니다. 예수님은 그분처럼 온전히 무조건적으로 용서하라고 우리에게 권고하셨습니다. 우리를 향한 예수님의 사랑은 무한합니다. 우리가 아직 죄의 길로 다니며 예수님을 배반할 때에 예수님은 십자가로 나아가 죽으셨습니다(롬 5:8). 용서는 단순히 형벌이나 처벌을 면하게 해 주는 것이 아니라, 하나님과의 관계를 회복하기 위해 행동하는 것까지입니다. 예수님은 그분이 용서해 주신 것처럼 어떤 일이 있어도 무한히 용서하라고 우리를 권고하십니다(롬 12:18).

연 대 표

무자비한 종
THE UNMERCIFUL SERVANT
예수님이 용서에 대해 알려 주시다.

선한 사마리아인
THE GOOD SAMARITAN
예수님이 이웃을 어떻게 사랑해야 하는지에 대해 알려 주시다.

잃어버린 두 아들
TWO LOST SONS
방탕하고 자기 의에 집착하는 형제를 통해 예수님이 하나님의 은혜를 알려 주시다.

바리새인과 세리
THE PHARISEE AND THE TAX COLLECTOR
예수님이 자기 의의 위험에 대해 알려 주시다.

악한 종
THE WICKED TENANTS
예수님이 하나님의 심판과 회개의 필요성을 알려 주시다.

물이 변하여 된 포도주
WATER INTO WINE
날마다 필요한 것이 채워져야 하는 우리를 예수님이 긍휼히 여기시다.

베드로의 질문은 당시 보편적으로 인정되던 횟수보다 두 배 이상으로 용서하겠다는 의지를 보인 것이었습니다. 베드로는 의미심장한 숫자 7을 언급했는데, 이는 '완전한' 용서를 의미한다고 볼 수 있습니다. 예수님의 제자인 베드로는 예수님 나라의 윤리를 이해하려고 애쓰면서 보편적 기준 이상을 실천하고자 했습니다.

students

예수님의 대답이 선뜻 이해되지 않을 수 있습니다. 번역본에 따라 표현이 조금 다르다 해도 요점은 같습니다. 예수님은 몇 번 이상은 용서하지 않아도 되는지 구체적인 횟수를 알려 주신 것이 아닙니다. 용서의 횟수는 중요하지 않습니다. 예수님은 믿는 자들이 한량없이 완전하게 용서하기를 바라시기 때문입니다. 베드로에게 대답하신 뒤에 예수님은 이런 내용을 비유로 가르치셨습니다. 그리스도인이 거듭해서 용서해야 하는 까닭은 자신들이 이미 무수한 죄를 한량없이 용서받았기 때문입니다.

> 우리는 화가 나는 일이 있을 때마다 얼마나 많이 용서했던가를 따지지 말고,
> 우리에게 죄지은 사람들에게 화내는 일을 멈추어야 합니다.
> 하나님은 우리가 얼마나 많이 용서했는가와 상관없이
> 선물로 우리의 많은 죄를 사해 주셨기 때문입니다.
> 그러니 다른 사람들에게 화를 내서는 안 되는 처지인 것입니다.
> 자신이 용서해 준 횟수만큼만 용서해서는 안 되는 까닭은 …
> 하나님이 복음의 은혜로 우리의 죄를 한량없이 용서해 주셨기 때문입니다.
> 푸아티에의 힐라리우스 Hilary of Poitiers

네 모든 빚을 탕감해 주마

예수님은 그의 나라가 무엇과 같을지 제자들에게 가르치기 원하셨습니다. 그래서 다음과 같은 이야기를 들려주셨습니다.

> ²³그러므로 천국은 그 종들과 결산하려 하던 어떤 임금과 같으니 ²⁴결산할 때에 만 달란트 빚진 자 하나를 데려오매 ²⁵갚을 것이 없는지라 주인이 명하여 그 몸과 아내와 자식들과 모든 소유를 다 팔아 갚게 하라 하니 ²⁶그 종이 엎드려 절하며 이르되 내게 참으소서 다 갚으리이다 하거늘 ²⁷그 종의 주인이 불쌍히 여겨 놓아 보내며 그 빚을 탕감하여 주었더니(마 18:23~27)

• students

알짬 교리 99

자비로우신 하나님

자비란 하나님의 긍휼을 가리키는 것으로, 죄에 대한 형벌 같은 것을 유보하시는 하나님의 모습으로 종종 나타납니다(엡 2:4~5; 딛 3:5). 인간에게 자비와 은혜는 과분합니다. 하나님의 자비와 은혜를 얻기 위해 인간이 할 수 있는 일이 아무것도 없다는 뜻에서 그렇습니다. 만약 할 수 있는 일이 있다면, 자비나 은혜는 더 이상 값없는 선물이 아닐 것입니다.

이야기에 따르면, 임금에게 일만 달란트를 빚진 한 종이 있었습니다. 여기서 일만 달란트란 절대로 갚을 수 없을 만큼의 큰 빚을 뜻합니다. 한 사람이 평생 벌 수 있는 것보다 큰 금액입니다. 이 이야기에서 임금은 종을 무자비하게 대하거나 불공평하게 대하지 않았습니다. 그저 그가 갚아야 할 액수만큼 갚게 하려고 했습니다.

임금이 적법하게 취할 수 있었던 보상은 오늘날 우리에게 매우 생소할 수 있습니다. 그러나 당시 그 문화권에서 임금은 엄청난 빚을 진 사람과 그 가족을 함께 팔아넘겨 채무의 일부라도 변제받을 권리가 있었습니다. 그렇게 노예가 된 사람과 그 가족이 일하는 동안에 발생하는 수익은 즉각 임금에게 귀속되는 것이 상례였으므로 그런 경우에는 엄청난 빚의 대가로 종신 노예 계약을 맺는 셈이었습니다.

이런 경우에는 빚을 진 당사자뿐 아니라 가족 전체와 미래의 가족까지도

본문으로 더 깊이

유대인의 선생인 랍비는 누군가를 세 번까지 용서하면 그에게 용서가 무엇인지를 충분히 보여 준 것이라고 가르쳤습니다. 이는 인간에 대한 하나님의 행동을 다룬 구약성경 본문에 따른 것입니다(욥 33:29~30; 암 1:3; 2:6). 그러나 1세기 유대인들의 보편적인 생각은 의도적으로 죄를 짓고 용서를 바라는 사람에게는 용서받을 자격이 없다는 것이었습니다.

채무를 떠안게 됩니다. 한 개인의 빚 때문에 그 후손이 세대를 거듭하여 노예로 살아야 합니다. 예수님은 그처럼 소망 없이 엄청난 빚을 진 사람을 묘사하셨습니다. 그 사람이 임금에게 할 수 있는 일이라고는 고작 자기 자신과 가족과 가진 재산을 모두 팔아서 빚의 일부라도 갚는 것뿐이었습니다. 실로 끔찍한 상황이었습니다.

그 종은 자기 목숨과 아내와 자식들의 목숨을 구걸하면서 터무니없는 주장을 했습니다. 시간을 조금만 주면 빚을 갚겠다는 것이었습니다. 예수님은 시간이 이미 얼마나 많이 지났는지 말씀하지 않으셨으나, 그는 아마도 가진 돈을 오래전에 이미 다 써 버렸기에 빚을 청산해야 하는 지경에 이르른 것입니다.

students

그런데 임금은 종이 빚을 조금도 남김없이 갚게 하는 것이 아니라 그의 빚을 없애 버리는 엄청난 반전을 보여 주었습니다. 이야기를 듣던 사람들은 틀림없이 경악했을 것입니다. "세상에, 임금이 그처럼 엄청난 빚을 그냥 탕감해 주었다고?" 임금의 몇 마디 말에 종은 금전적 속박에서 벗어났고, 그의 온 가족이 평생 호되게 치를 뻔했던 엄벌을 면하게 되었습니다.

예수님이 밝혀 주신 바와 같이 이 이야기는 신자들에 관한 것입니다. 우리는 이 이야기를 통해 하나님 나라의 그림을 보게 됩니다. 그 나라는 하나님께 무수한 죄를 범한 종들로 가득 찬 나라로, 그 종들이 진 '빚'을 합산하면 일만 달란트를 웃돌 것입니다. 하나님께 갚아 드리고자 해도 도저히 갚을 수 없이 큰 빚인 것입니다.

분명한 것은 그때가 언제이든 빚에 관해 반드시 심판받게 되어 있다는 것입니다. 그러나 하나님은 예수님을 통해 빚을 탕감해 주심으로써 우리를 향한 하나님의 사랑을 확증하셨습니다 (롬 5:8). 이 이야기에서 우리는 하나님의 무조건적인 은혜를 보게 됩니다. 하나님은 용서를 갈구하는 사람들을 용서하심으로써 무기력해진 사람들을 도우십니다.

우리는 하나님을 만났고, 하나님은 그분을 거역한 우리의 죗값이 너무 커 우리의 힘으로는 도저히 갚을 수 없다는 것을 아셨습니다. 우리는 종종 선행을 통해 그 값을 치르겠다고 하는 어리석은 다짐을 하지만, 어떤 선행으로도 그 빚을 다 갚을 수는 없습니다. 이처럼 도저히 갚지 못하는 무능력 탓에 하나님의 용서에 주목하게 됩니다. 하나님은 예수님을 통해 우리를 용서하시고, 우리의 죄를 말끔히 씻어 주십니다. 하나님은 가장 궁핍한 자에게 용서를 베푸시는 분입니다.

용서할 줄 모르는 너에게 심판을!

● students
예수님이 청중의 이목을 사로잡는 능력을 발휘하시는 장면이 펼쳐집니다. 임금에게서 막대한 빚을 탕감받은 종이 임금 앞에서 물러나서는 자신에게 빚진 동료를 만난 이야기를 말씀하십니다.

● students
²⁸그 종이 나가서 자기에게 백 데나리온 빚진 동료 한 사람을 만나 붙들어 목을 잡고 이르되 빚을 갚으라 하매 ²⁹그 동료가 엎드려 간구하여 이르되 나에게 참아 주소서 갚으리이다 하되 ³⁰허락하지 아니하고 이에 가서 그가 빚을 갚도록 옥에 가두거늘 ³¹그 동료들이 그것을 보고 몹시 딱하게 여겨 주인에게 가서 그 일을 다 알리니 ³²이에 주인이 그를 불러다가 말하되 악한 종아 네가 빌기에 내가 네 빚을 전부 탕감하여 주었거늘 ³³내가 너를 불쌍히 여김과 같이 너도 네 동료를 불쌍히 여김이 마땅하지 아니하냐 하고 ³⁴주인이 노하여 그 빚을 다 갚도록 그를 옥졸들에게 넘기니라 ³⁵너희가 각각 마음으로부터 형제를 용서하지 아니하면 나의 하늘 아버지께서도 너희에게 이와 같이 하시리라 (마 18:28~35)

일백 데나리온은 노동자의 3~4개월치 임금에 해당하므로 적지 않은 액수가 분명하지만, 일만 달란트 앞에서는 무색해지는 적은 액수입니다. 종은 그처럼 막대한 빚을 탕감받자마자 자신과 똑같은 허물이 있는 동료의 숨통을 조이기 시작했습니다. 첫 번째 종과 똑같이 두 번째 종은 자신에게 시간을 주면 갚겠다고 간청했습니다.

첫 번째 종은 자신에게 빚을 갚지 않은 것을 탐탁지 않게 여기고 은혜를 베풀지 않았습니다. 자신에게 빚진 종을 옥에 가둔 것입니다. 당시에는 빚을 갚지 않는 자를 노예로 파는 대신에 투옥하는 것이 자금 회수 방편으로 적법한 것이었습니다. 투옥된 상태에서 하는 노동의 대가는 모조리 빚 대신에 몰수되었을 테니, 투옥된 사람의 가족이 얼마나 충격을 받았을지 상상해 보십시오.

첫 번째 종이 두 번째 종에게 한 행동은 보통 상황에서는 당연한 것이겠지만, 특별히 어마어마한 빚을 탕감 받은 상황에서 자비를 베풀지 않았기 때문에 동료 종들이 충격에 빠졌습니다. 그래서 종들이 자신이 목도한 광경을 임금에게 보고했습니다. 의분을 느낀 임금은 첫 번째 종을 만나 그의 야박한 마음을 질타했습니다. 임금은 그 종을 꾸짖으며, 은혜 입은 자는 은혜를 베풀어야 한다고 지적했습니다(33절).

악한 종이 받게 되는 벌이 제법 심각합니다(34절). 자신은 용서받았으면서도 다른 사람을 용서하지 않는 '악한' 자들은 준엄한 심판을 받게 될 것입니다. "옥졸들에게" 넘겨졌다고 번역되었지만, 실상은 더 깊은 의미가 담겨 있습니다. 헬라어 원문의 단어 뜻은 '고문하는 자들에게'입니다. 그러므로 악한 종은 빚을 다 갚을 때까지 고문을 당해야 한다는 것인데, 그가 진 빚이 얼마나 엄청난지를 떠올려 보게 됩니다.

그리스도와의 연결

비유는 폭넓은 진리를 표현하기 위해 지은 이야기임을 기억하십시오. 본문의 비유는 용서하지 않는 사람을 하나님이 어떻게 하시는지에 관한 것입니다. 여기서 '고문'은 그리스도를 떠난 사람이 장차 맞이할 영원한 지옥 형벌을 뜻할 수도 있습니다. 마음으로 용서하지 못하는 사람은 이미 이 세상에서 혹독한 고문을 경험할 수 있고, 고통과 외로움과 분노와 억울함을 겪으며 살아갈 수 있습니다. 고통과 괴로움을 주는 이들을 용서하지 않으면 도리어 이들에게 우리가 넘겨지게 되는 일을 겪게 됩니다. 그리하여 언뜻 생각하기에는 우리에게 고통과 괴로움을 주었던 이들이 사라졌거나 멀리 있거나 죽은 것 같을 때에라도, 영혼 안에서 여전히 지속적으로 우리에게 고통과 괴로움을 줄 수 있습니다. 겉으로 보면 우리를 함부로 대하는 자들이 사라졌거나 멀리 있거나 죽은 것 같을지라도 그들은 영혼 안에서 지속적으로 해를 끼칠 것입니다.

타인을 용서함으로써 과거에 저지른 잘못 때문에 겪는 괴로움에서 해방된다는 것은 아름다운 진리입니다. 상처를 주었던 사람에게 얽매일 필요가 없습니다. 그러나 용서하지 않는다면, 더 큰 괴로움과 고통이 찾아올 것입니다.

21세기를 살아가는 그리스도인으로서 우리는 이 비유를 한낱 옛이야기로 치부해서는 안 될 것입니다. "너희가 각각 마음으로부터 형제를 용서하지 아니하면 나의 하늘 아버지께서도 너희에게 이와 같이 하시리라"(마 18:35). 35 절에서 예수님은 분명하게 지적하시며 용서에 관한 가르침의 결론을 맺으셨습니다. 용서를 받았으면서도 용서하지 않는 사람은 악한 종과 같은 처지가 된다는 것입니다. 여기서 예수님은 힘주어 말씀하셨습니다. "용서하라. 용서하지 아니하면, 하나님의 심판을 받게 되리라!"

용서의 방법이나 횟수는 우리에게 잘못한 사람과는 무관한 문제입니다. 오히려 우리를 용서해 주신 구세주와 관련이 있습니다. 자타가 공인하는 그리스도인이 타인을 용서하는 데 어려움을 겪는다면, 이것은 마음에 무언가 심각한 문제가 있다는 뜻입니다. 최악의 경우에는 이런 질문을 던져야 합니다. "'그리스도인'이 타인을 용서하는 데 어려움을 겪는다면, 과연 진짜로 복음을 이해한 것일까요?"

우리가 하나님께 진 빚은 너무나 막대하여, 착한 일과 노력을 통해 다 갚을 수 없을 정도입니다. 그러나 예수 그리스도께서 우리 죄를 대신하여 십자가에서 죽으셨고, 그 은혜에 힘입어 우리가 용서를 받았습니다. 하나님은 아들의 피로 우리 이름을 죄인의 명부에서 지우셨습니다. 이와 같은 참된 용서를 받았음을 경험한 사람이라면, 그리스도를 통해 용서받은 것과 똑같은 방식으로 남을 용서할 수 있습니다.

> 예수님 당시에 주인은 종이 엄청난 빚을 지지 않았더라도
> 종과 그 가족과 재산을 모두 팔아넘길 수 있었습니다.
> 그래서 시간을 주면 빚을 다 갚겠다는 종의 제안은 비현실적입니다.
> 그러나 그 터무니없는 제안을 듣고도 주인은 자비로움을 드러냈습니다.
> 주인은 종이 요구한 시간을 주는 데 그치지 않고, 빚을 모두 탕감해 주었습니다.
> 주인의 결정은 계산에서 나온 것이 아니라 '마음에서 우러나온' 것이었습니다.
> 예수님도 스스로 도울 길 없는 사람들을 만날 때마다
> 놀라운 자비를 베풀어 주셨습니다(마 9:36; 14:14; 15:32; 20:34).
> 그러므로 이 비유는 값없이 전적으로 주시는 하나님의 은혜를 나타냅니다.
> 하나님은 스스로 돕지 못하는 백성들을 용서하시되,
> 기대치를 훨씬 뛰어넘는 수준으로 용서하십니다.
> R. T. 프란스 R. T. France

YOUR STORY

하나님이 들려주시는 이야기는 오늘을 사는 나와 늘 연결되어 있습니다. 아래 질문에 답하면서 성경 이야기가 내 이야기와 어떻게 연결되는지 생각해 봅시다.

▶ **때때로 다른 사람을 용서하기 어렵게 만드는 것은 무엇인가요?**
답은 다양하겠으나 대개 얼마나 잘못했는지, 얼마나 상처받았는지에 달려 있을 것입니다. 또한 상처를 입힌 사람이 잘못을 뉘우치지 않는다면 용서하고 싶지 않을 것입니다.

▶ **일곱 번을 일흔 번까지라도 해야 하는 것이 용서라는 말씀을 통해 어떤 잠재적 반론을 생각해 볼 수 있을까요?**
반복적으로 다른 사람을 괴롭힌다면 그 사람은 절대로 변화를 경험할 수 없기 때문에 용서하는 편이 나을 것입니다.

▶ **용서하되 "마음으로부터" 용서하라는 예수님의 권고에서 어떤 도전을 받나요?**
이 질문에 관한 대답은 다양할 것입니다.

▶ **무자비한 종에 관한 예수님의 비유를 듣고 자신이 실천해야 할 바를 깨닫게 된 것이 있다면 나눠 봅시다.**
이 질문에 관한 대답은 다양할 것입니다.

하나님의 이야기
하나님이 그분의 아들 예수 그리스도를 통해 우리를 구속해 주신 이야기

우리의 이야기
우리의 이야기가 하나님의 이야기와 만나는 곳

5~10분

 생 각

하나님을 거역한 죗값은 매우 큽니다. 얼마나 크냐면, 우리가 다 갚을 수 없을 정도입니다. 선행을 통해 그 값을 치르겠다고 하지만, 어떤 선행으로도 다 갚을 수 없을 만큼 그 빚은 막대합니다. 도저히 갚을 능력이 없기에 우리는 하나님의 용서만 바라보게 됩니다. 하나님은 예수님 때문에 우리를 용서하시고, 우리 죄를 말끔히 씻어 주십니다. 하나님은 가장 궁핍한 자에게 용서를 베푸시는 분입니다.

● 자신이 하나님께 진 빚을 절대로 갚을 수 없다는 사실을 깨닫는 것이 왜 중요할까요?
하나님의 은혜와 자비에 놀란다는 것은 하나님께 진 빚이 얼마나 막대한가를 깨달았다는 뜻입니다.

● 나에게 잘못한 사람을 용서해야 할 때마다 나 자신이 용서받았다는 사실을 기억하는 것이 왜 중요할까요?
용서받았다는 사실이 다른 사람을 용서해야 할 적절한 동기와 토대가 되기 때문입니다.

 마 음

세상은 종종 "한 번 속으면 네 탓이고, 두 번 속으면 내 탓"이라고 합니다. 그러나 예수님은 누가 얼마나 많은 잘못을 저질렀건 그를 용서해야만 한다고 가르치셨습니다. "일곱 번을 일흔 번까지라도" 한량없이 용서해야 하는 까닭은 용서가 그리스도인의 삶에 필수적인 요소임을 보여 줄 수 있기 때문입니다. 그렇게 살다 보면, 용서를 스스로 하는 것이 아님을 알게 됩니다. 이것이 예수님이 제자들에게 용서의 중요성을 강조하는 이야기를 들려주신 이유입니다.

● 왜 마음으로부터 용서해야 할까요?
진정한 용서는 단순하거나 외적인 것이 아닙니다. 용서한다고 말은 하면서도 아픔과 분노를 풀지 못하는 경우가 있으므로 용서는 먼저 마음에서 우러나야 합니다.

● 교회 안에서 이루어지는 은혜와 용서는 믿지 않는 사람에게 어떤 영향을 줄까요?
이 질문에 관한 대답은 다양할 것입니다.

 행 동

혹시 자신에게 용서를 구하는 사람에게 무자비한 태도를 보인 적이 있나요? 사람은 자신의 죄를 너그러이 용서받아 놓고, 다른 사람이 같은 죄를 저지르는 것을 보면 혐오합니다. 우리는 다른 사람의 잘못을 지적하는 사람을 보게 되는데, 그것은 자신은 이미 그 죄를 해결했다고 여기기 때문입니다. 무자비한 종의 비유는 허물을 용서받았으면서도 타인을 용서하지 못하는 우리를 하나님이 어떻게 보시는가를 보여 줍니다. 누구든 자신은 그리스도 안에서 하나님의 용서하시는 은혜 아래 있다고 주장한다면, 그는 매일의 삶에서 용서하는 훈련을 쌓아야 합니다.

다음 모임까지
스바냐 1~3장;
열왕기하 22~23장;
역대하 34~35장을
읽어 보세요.

● 자신에게 잘못한 사람을 용서하지 않고 사소한 방식으로라도 벌을 준 적이 있나요?
이 질문에 관한 대답은 다양할 것입니다.

● 어떻게 하면, 복수하고 싶은 욕망을 억누르고 그리스도 안에서 우리가 체험한 자비를 실천할 수 있을까요?
이 질문에 관한 대답은 다양할 것입니다.

부록 2

신약성경에 나타난 구약성경의 말씀

"나는 스스로 있는 자니라" 하나님만이 바다 물결을 밟으심(욥 9:8)	**하나님의 아들이신 예수님** "스스로 있는 자"가 바다 위로 걸으심(마 14:25~27)
이사야의 메시지 듣기는 들어도 깨닫지 못할 것이요 보기는 보아도 알지 못할 것임(사 6:9)	**예수님의 비유** 제자들로 하여금 하나님 나라의 비밀을 깨닫게 하심(막 4:11~12)
시편 기자의 예언 하나님의 백성은 비유를 말씀하시는 분에게 귀를 기울일 것임(시 78:1~3)	**예언의 성취** 예수님이 무리에게 비유로 말씀하심(마 13:34~35)
하나님의 율법 하나님을 사랑하고, 이웃을 사랑하라(신 6:5; 레 19:18)	**예수님의 확언** 영생을 얻으려면 율법을 온전히 지켜라(눅 10:25~28)
외식하는 자들 입술로는 하나님을 공경하나 그들의 마음은 하나님에게서 멀리 떠남(사 29:13~14)	**바리새인들** 사람의 계명을 교훈으로 삼아 가르침(막 7:6~7)
하나님의 포도원 좋은 포도 맺기를 바랐더니 하나님의 백성이 들포도를 맺음(사 5:1~7)	**예수님의 비유** 바리새인들이 하나님의 아들을 죽이려고 함(마 21:33~46)
버려진 돌 건축자가 버린 돌이 집 모퉁이의 머릿돌이 됨(시 118:22~24)	**거절당한 구세주** 악한 자들에게 버려져 열매 맺는 자들에게 주어짐(마 21:42~46)
심판 하나님의 대적들은 벌레에 먹히고 꺼지지 않는 불에 던져질 것임(사 66:24)	**예수님의 경고** 지옥에서는 구더기도 죽지 않고, 불도 꺼지지 않음(막 9:47~48)
모세 하나님의 백성이 만나를 받을 수 있도록 준비함(출 16장)	**오병이어를 베푸신 예수님** 생명의 떡이신 이가 5천 명을 먹이심(마 14:19~20; 요 6:32~35)
주님의 소원 주님은 제사 대신 한결같은 사랑을 원하심(호 6:6)	**예수님의 사명** 영적인 질병을 고치시고, 죄인들에게 자비를 베푸심(마 9:1~13)
고난받는 종 우리의 질고를 지고 우리의 슬픔을 당하심(사 53:4)	**예수 그리스도** 말씀으로 귀신들을 쫓아내시고, 병든 자들을 다 고치심(마 8:16~17)

03

영생의 증거를 보여 봐

요 약

이 과에서는 선한 사마리아인의 비유를 공부할 것입니다. 한 율법 교사가 예수님께 와서 어떻게 해야 영생을 얻을 수 있는지를 묻고, 구약성경의 계명들을 하나님 사랑과 이웃 사랑이라는 두 계명으로 요약했습니다. 그는 예수님께 "내 이웃은 누구인가요?" 하고 질문했습니다. 예수님은 곤경에 처한 한 사람과 그 사람에게 예상 밖의 자비를 베푼 사마리아인의 이야기를 들려주셨습니다. 우리가 이 이야기를 통해 깨닫는 것은 하나님이 우리에게 긍휼을 베푸셨으므로 예수님을 따르는 우리도 도움을 청하는 사람에게 긍휼을 베풀어야 한다는 것입니다.

성 경

누가복음 10장 25~37절

HIS STORY

포 인 트	그리스도인은 긍휼을 베푸신 예수님처럼 다른 사람에게 긍휼을 베풀어야 한다.
등 장 인 물	예수님(하나님의 아들, 성자 하나님)
메시지 좌표	선한 사마리아인의 이야기는 예수님이 들려주신 유명한 비유입니다. 한 율법 교사가 상당히 직설적인 질문을 던지며 예수님을 시험하고자 했습니다. "내가 무엇을 하여야 영생을 얻겠습니까?" 그러자 예수님도 직설적으로 대답하셨습니다. "네 마음을 다하여 하나님을 사랑하고 또한 네 이웃을 네 자신같이 사랑하라는 구약의 계명을 지켜라." 예수님은 그 뜻을 더 설명해 주시기 위해, 유대 지도자들이 그냥 지나쳐 버린 한 사람을 돕고자 발길을 멈추었던 어느 사마리아인의 이야기를 들려주셨습니다. 그러면서 사람들이 전혀 예상하지 못했던 인물을 통해 이웃을 사랑하라는 것은, 곧 모든 사람을 사랑하라는 말씀임을 보여주셨습니다.

도 입

"질문이 잘못되었군요." 이는 열띤 논쟁이나 토론 중에 이따금씩 들을 수 있는 말입니다. 만약 누군가가 "잘못된 질문을 하고 있어요!" 하고 말한다면, 대화의 골격을 수정해야 한다는 뜻입니다. 상상력의 새로운 창을 열어야 합니다.

이런 경우를 상상해 보십시오. 어느 작은 마을에서 조사해 보니 자기 마을의 교통사고 부상자 수가 주변 마을의 부상자 수보다 훨씬 많았다고 합시다. 그래서 마을의 지도자들이 의논 끝에 응급 처치 절차를 개선하기 시작했습니다. 응급차가 도착하는 시간을 줄인다든가, 지역 병원과 연계하여 최상의 응급 처치를 신속하게 받을 수 있게 했습니다. 마을 사람들의 모든 대화는 응급 처치에 관한 것이 되었고, 그들은 어떻게 하면 응급 처치를 개선할 수 있는가에 관심을 모았습니다.

시간이 지나면서 지도자들이 이런 의견을 제시하기 시작했습니다. "우리는 질문을 잘못하고 있습니다. 응급 처치에 주목할 것이 아니라, 교통사고가 가장 많이 일어나는 교차로에 주목해야 합니다!" 드디어 전구에 불이 켜진 셈입니다. 그러자 비로소 대화를 바른 방향으로 진행할 수 있었습니다. 위험한 교차로에서는 제한 속도를 낮추고 미리 조심할 수 있도록 경고 표지판을 설치하고, 경사가 심한 지역에는 거울을 설치하여 시야를 확보하게 하자는 의견이 나왔습니다.

질문이 달라지면 대화의 내용이 달라지고, 상상력을 자극하는 새로운 창이 열립니다. 예수님은 노련한 선생으로 당시 청중이 전혀 예측하지 못한 방식의 이야기를 들려주셨으며, 질문을 바꾸기도 하셨습니다. 이 과에서는 예수님이 그 두 가지를 어떻게 활용하셨지를 살펴볼 것입니다.

▶ 상황을 다른 각도에서 보기 위해 '질문 바꾸기'가 필요하다고 생각한 적이 있나요? 언제 그랬나요? 질문을 바꾼 다음에는 생각이 어떻게 달라졌나요?

도입 선택

주변을 살펴보십시오. 이웃에 누가 사는지 알고 있나요? 우리는 대개 이웃이란 가까이 사는 사람들이라고 생각합니다. 같은 학교에 다니거나, 같은 교회에 출석하거나, 동네 모임에서 만나는 사람들 말입니다. 예수님은 제자들과 종교 지도자들에게 이웃이란 단순히 지역이나 직업이나 종족이나 교파로 연결된 이들을 가리키는 것이 아님을 깨우쳐 주셨습니다. 길에서 만나는 누구라도 이웃이 될 수 있습니다. 우리는 신분이나 출신에 상관없이 모두 사랑하도록 부름 받았습니다.

• 예수님의 사랑과 긍휼이 필요한 사람을 알고 있나요? 이번 주에 그에게 예수님의 사랑과 긍휼을 어떻게 보여 주면 좋을까요?

계명이 두 가지로 요약되는 것을 알고 있니?

복음서에서 사람들은 종종 예수님을 시험에 빠뜨리기 위해 그분께 말을 건넸습니다. 예수님을 곤경에 빠뜨리거나 자가당착에 빠뜨리려는 의도로 질문을 드렸던 것입니다. 그럴 때 예수님이 어떻게 대처하셨는지를 살펴보겠습니다.

연 대 표

선한 사마리아인
THE GOOD SAMARITAN
예수님이 이웃을 어떻게 사랑해야 하는지에 대해 알려 주시다.

잃어버린 두 아들
TWO LOST SONS
방탕하고 자기 의에 집착하는 형제를 통해 예수님이 하나님의 은혜를 알려 주시다.

바리새인과 세리
THE PHARISEE AND THE TAX COLLECTOR
예수님이 자기 의의 위험에 대해 알려 주시다.

악한 종
THE WICKED TENANTS
예수님이 하나님의 심판과 회개의 필요성을 알려 주시다.

물이 변하여 된 포도주
WATER INTO WINE
날마다 필요한 것이 채워져야 하는 우리를 예수님이 긍휼히 여기시다.

하늘에서 내린 떡
BREAD FROM HEAVEN
예수님은 우리에게 육체적으로 필요한 것과 영적으로 필요한 것을 모두 공급하시다.

●students
²⁵어떤 율법 교사가 일어나 예수를 시험하여 이르되 선생님 내가 무엇을 하여야 영생을 얻으리이까 ²⁶예수께서 이르시되 율법에 무엇이라 기록되었으며 네가 어떻게 읽느냐 ²⁷대답하여 이르되 네 마음을 다하며 목숨을 다하며 힘을 다하며 뜻을 다하여 주 너의 하나님을 사랑하고 또한 네 이웃을 네 자신 같이 사랑하라 하였나이다 ²⁸예수께서 이르시되 네 대답이 옳도다 이를 행하라 그러면 살리라 하시니(눅 10:25~28)

율법의 전문가인 율법 교사가 예수님이 뭐라고 답하시는지 시험하려고 질문했습니다. "내가 무엇을 해야 영생을 얻을 수 있을까요?" 질문 자체는 평범하고 좋습니다. 전에 들었어도, 앞으로 듣게 되어도 괜찮은 질문입니다.

●students
우리는 본문의 율법 교사가 죽은 후에 천국에 가는 것에 관해 질문했다고 생각할 수 있습니다. 그러나 1세기의 상황에서 '영생을 얻는다'라는 말은 다른 의미를 담고 있기에, 그의 질문을 이런 뜻으로도 볼 수 있습니다. "선생님! 메시아께서 이 땅에 오셔서 통치하실 때, 나도 하나님 나라에 속하게 되리라는 것을 어떻게 확신할 수 있나요? 하나님이 자기 백성에게 돌아오셔서 모든 것을 바로잡으실 때, 내가 그 안에 속하리라는 것을 어떻게 하면 확신할 수 있나요?"

이 질문에 대한 예수님의 대답에는 이런 의미가 있습니다. "너는 율법 교사이니, 율법이 무엇이라고 가르치는지를 말해 보아라." 예수님은 누군가가 질문을 드리면 질문 뒤에 숨은 뜻을 드러내시고자 종종 다른 질문으로 되묻곤 하셨는데, 이때도 그 방식을 사용하셨습니다.

그러자 그는 하나님을 사랑하고 이웃을 사랑하라는 가장 큰 두 계명을 언급하며 대답했습니다. 예수님도 율법과 선지자로 대표되는 구약성경 전체를 이 두 계명으로 요약하신 적이 있습니다(마 22:36~40).

그런데 그다음 말에 드러나는 그의 속마음은 이와 같습니다. "과연 누가 하나님과 이웃을 언제나, 온전하게 사랑할 수 있나요?" 만약에 율법을 온전히 지켜야 영생을 얻을 수 있다고 한다면, 그 율법 교사는 자신할 수 있을까요? 온전히 순종하는 데 아무 흠도 없다고 말할 수 있는 사람이 과연 있을까요?

율법 교사가 예수님의 명령에 어떻게 반응했는지 살펴보겠습니다. 그에 앞서 여기서 예수님이 굴하지 않고 양보 없이 묘사하신 희망 사항을 눈여겨볼 필요가 있습니다. 하나님 나라에서의 삶은 하나님과 다른 사람을 향한 사랑의 삶입니다. 하나님과 다른 사람들을 사랑하지 않는 사람은 하나님의 새 세상을 상속할 수 없습니다.

누가 그에게 다가가는가를 봐라

students

영생을 얻고 싶으면 하나님을 사랑하고 이웃을 사랑하라는 간단한 문답 같지만, 이것은 온전한 헌신을 뜻합니다. 하나님과 사람을 온전히 사랑해야 하는, 솔직히 누구도 성취할 수 없는 수준의 헌신입니다. 당연히 율법 교사 는 율법의 정죄에 마음이 찔렸을 것입니다. 의무를 지키지 못한 사실을 율법 이 고스란히 드러내기 때문입니다. 그래서 그는 재빨리 자기를 옳게 보이려 고 다른 질문을 했습니다.

students

29그 사람이 자기를 옳게 보이려고 예수께 여짜오되 그러면 내 이웃이 누구니이까 30예수 께서 대답하여 이르시되 어떤 사람이 예루살렘에서 여리고로 내려가다가 강도를 만나 매 강도들이 그 옷을 벗기고 때려 거의 죽은 것을 버리고 갔더라 31마침 한 제사장이 그 길 로 내려가다가 그를 보고 피하여 지나가고 32또 이와 같이 한 레위인도 그곳에 이르러 그 를 보고 피하여 지나가되 33어떤 사마리아 사람은 여행하는 중 거기 이르러 그를 보고 불 쌍히 여겨 34가까이 가서 기름과 포도주를 그 상처에 붓고 싸매고 자기 짐승에 태워 주막 으로 데리고 가서 돌보아 주니라 35그 이튿날 그가 주막 주인에게 데나리온 둘을 내어 주 며 이르되 이 사람을 돌보아 주라 비용이 더 들면 내가 돌아올 때에 갚으리라 하였으니(눅 10:29~35)

자기 이웃이 누구인지를 묻는 율법 교사의 질문은 순수하지 않았습니다. 그는 예수님 말씀의 위력을 알아차렸고, 언제 어디서든 하나님과 이웃을 사 랑해야 하는 책임이 막중함을 느꼈습니다. 그래서 '자기를 옳게 보이려고' 자기 가 사랑해야 할 대상을 제한하고자 재차 질문을 드린 것입니다. "내가 사랑해 야 할 사람이 누구인지 말해 주면, 내가 그 사람을 사랑하고 있다는 것을 보여 주겠습니다." 자기가 사랑할 수 있는 범주의 사람들로 사랑할 대상을 제한하려 했습니다.

이 질문에 관한 예수님의 답은 그분의 여러 이야기 가운데 유명한 하나가 되었습니다. 바로 선한 사마리아인의 비유입니다. 이 이야기는 시작부터 극적입니다. 예수님은 먼저 유대인일 것 같은 한 사람을 소개하고, 그가 예루살렘에서 여리고로 가는 위험한 길에서 강도를 만났다고 말씀하셨습니다. 이어서 상당히 존경받는 두 명의 인물이 등장하는데, 바로 제사장과 레위인입니다. 두 사람 모두 종교 지도자이며 유대인입니다. 고통받는 사람을 도울 것으로 예상되는 사람들입니다. 그러나 그들은 죽어 가는 사람을 버려두고 멀찌감치 돌아갔습니다.

놀랍게도 상처 입은 유대인을 보살피기 위해 멈춘 사람은 사마리아인이었습니다. 예수님 시대에 유대인은 종교와 민족적 사연 때문에 사마리아인을 경멸했습니다. 사마리아인이 주인공이 되고, 민족과 문화의 경계를 넘는 장본인이 된다는 것은 당시에 물의를 빚을 만한 이야기였습니다. 이 이야기를 오늘날 표현으로 적용해 보면 이렇습니다. 길거리에 상처 입은 한 그리스도인이 있었는데, 그곳을 지나던 두 명의 그리스도인은 그를 못 본 척했고, 오히려 이슬람교도가 그를 보살펴 주었다는 것입니다. 미국 노예 시대에 남부 중심가에서 고통스러워하는 한 백인을 지나가던 흑인 노예가 보살펴 준 것과도 같습니다.

우리는 예수님이 무엇 때문에 그냥 "이웃에게 긍휼을 베풀라"라고 단도직입적으로 말씀하지 않으시고, 하나의 이야기를 들려주셨는지도 생각해 보아야 합니다. 진리를 이야기에 담아 전하시는 예수님의 방법에는 호소력이 있습니다.

너도 그렇게 살 수 있겠니?

students

예수님은 선한 사마리아인 이야기를 들려주고 물으셨습니다. 예수님의 질문이 율법 교사의 처음 질문과 어떻게 다른지 살펴보십시오.

students

³⁶네 생각에는 이 세 사람 중에 누가 강도 만난 자의 이웃이 되겠느냐 ³⁷이르되 자비를 베푼 자니이다 예수께서 이르시되 가서 너도 이와 같이 하라 하시니라(눅 10: 36~37)

students

예수님이 질문을 어떻게 바꾸셨는지 눈치챘나요? 율법 교사는 이웃이 누구인지 질문했지만, 예수님은 "네가 누구에게 이웃이 되어 줄 수 있느냐"라고 물으시며 초점을 바꾸셨습니다. 예수님은 '이웃'의 범주를 몇 명으로 제한하지 않고, 그 경계를 확장하신 것입니다.

예수님의 질문을 받은 율법 교사가 대답하는 태도를 보니, 그는 예수님이 들려주신 이야기에 나오는 사마리아인을 그다지 칭찬하고 싶지 않았던 것 같습니다(36절). 그래서 사마리아인이라는 말을 입에 담지도 않고, 그냥 "자비를 베푼 자니이다"라고만 대답한 것으로 보입니다. 예수님은 가서 이와 같이 하라고 그에게 말씀하셨습니다. 자비를 베푸는 사람이 되라는 뜻입니다. 그 말씀은 이웃에게 베풀어 '긍휼'의 양을 채우라는 뜻이 아닙니다. 필요로 하는 사람에게 자비를 베푸는 인격을 갖추라는 뜻입니다. 예수님의 이야기는 의무를 완수한다는 자세로 행위 목록을 실행할 것이 아니라, 진심에서 우러나는 변화를 가져야 한다는 것이었습니다.

자비를 베푸는 행동을 하는 것과 자비로운 사람이 되는 것의 차이는 무엇일까요?

알짬 교리 **99**

사회적 관심

모든 그리스도인에게는 그리스도의 뜻을 최우선으로 삼아야 할 의무가 있습니다. 사회를 개선하고 사람들 사이에 의를 세우는 모든 수단과 방법은 예수 그리스도 안에 있는 하나님의 구원의 은혜로 말미암아 거듭난 개인들 안에 뿌리를 박고 있을 때만 진정으로, 그리고 영구적으로 도움이 될 수 있습니다. 그리스도의 정신에 따라 인종 차별, 탐욕, 이기심, 악덕, 간음과 동성애와 포르노를 포함한 모든 형태의 성적 부도덕에 저항해야 합니다. 우리는 고아, 가난한 자, 학대받는 자, 노인, 무력한 자, 병자의 필요를 채워 주기 위해 노력해야 합니다. 우리는 태어나지 않은 태아들을 대변해야 하고, 잉태에서 자연적인 죽음에 이르기까지의 모든 인간 생명의 존엄성을 주장해야 합니다. 모든 그리스도인은 의와 진리 그리고 형제애의 원칙을 따라 산업계, 정부, 사회가 전체적으로 움직이도록 노력해야 합니다. 이러한 목적을 위해서, 그리스도인은 그리스도와 그분의 진리를 따르는 데 있어서 타협하지 않으면서도 항상 사랑의 정신으로 정중하게 행동하면서 선한 목적으로 선한 뜻을 가진 모든 사람과 협력할 준비가 되어 있어야 합니다(미 6:8; 엡 6:5~9; 살전 3:12).

그리스도와의 연결

● students

　　선한 사마리아인의 비유는 "내 이웃은 누구인지"를 묻는 율법 교사의 질문에 예수님이 의도를 가지고 해 주신 답변입니다. 하지만 다른 한편으로는 예수님이 우리에게 오셔서 엄청난 대가를 치르고 긍휼을 베푸신 분임을 암시합니다. 예수님은 우리가 속수무책으로 쓰러져 있을 때 우리의 안녕을 위한 대가를 치르고 긍휼을 베풀어 주신 '위대한 사마리아인'이셨습니다.

　　이것은 그야말로 율법 교사가 배워야 할 교훈 중의 하나였습니다. 그리고 우리는 모두 강도 만난 자와 같이 사마리아인의 도움을 필요로 하는 자들임을 알아야 합니다. 율법 교사는 강도 만난 자가 사마리아인의 도움을 필요로 하는 것처럼, 사마리아인이 예수님의 도움을 필요로 하는 처지인 것을 알아야 했습니다. 율법 교사는 율법을 두 가지 주요 계명으로 요약하고, 자기 이웃의 범주를 제한하면 자기를 옳게 보일 수 있으리라 생각했습니다. 그러나 예수님은 비유를 들려주심으로써 그의 모든 생각을 깨뜨리셨습니다. 우리는 구원하시는 하나님의 긍휼과 자비를 신뢰해야 합니다. 그래야만 다른 사람에게도 긍휼과 자비를 베풀 수 있습니다.

> 그리스도 제자도의 기본은 이웃 사랑입니다.
> 당신이 사랑받고 싶은 만큼 이웃을 사랑하고
> 하나님이 당신을 사랑하신 것처럼
> 이웃을 사랑해야 합니다.
> 데이비드 웨넘 David Wenham

YOUR STORY

하나님이 들려주시는 이야기는 오늘을 사는 나와 늘 연결되어 있습니다. 아래 질문에 답하면서 성경 이야기가 내 이야기와 어떻게 연결되는지 생각해 봅시다.

▶ 예수님의 질문에 율법 교사가 했던 대답에 대하여 어떻게 생각하나요?
  이 질문에 관한 대답은 다양할 것입니다.

▶ 두 종교 지도자가 고난에 처한 사람을 그냥 지나친 까닭은 무엇이라고 생각하나요? 이와 비슷한 일이 오늘날에도 일어난다면 어떠한 모습일까요?
  이 질문에 관한 대답은 다양할 것입니다.

▶ 도움이 필요한 사람에게 인정을 베풀지 않고 '멀찌감치 돌아가고' 싶은 때에 어떤 핑계를 대나요?
  우리는 시간이 너무 없다거나 자료가 없다거나 지식이 없다거나 하는 등의 이유를 대면서 도와줄 수 없다고 말할 때가 있습니다.

▶ 선한 사마리아인 이야기에서 개인적으로 가장 중요하게 받아들인 점은 무엇인가요?
  이 질문에 관한 대답은 다양할 것입니다.

하나님의 이야기
하나님이 그분의 아들
예수 그리스도를 통해
우리를 구속해 주신 이야기

우리의 이야기
우리의 이야기가
하나님의 이야기와
만나는 곳

YOUR MISSION

생 각

죽은 후에 가는 천국과 마지막 때의 새 하늘과 새 땅에 관한 약속은 우리가 하나님과 그분의 백성들과 영원히 함께할 것이라는 약속입니다. 오늘의 생명은 미래의 영생에 대한 준비이므로, 장차 우리가 서로 나누게 될 사랑이 현재 삶에 관여하게 하며 우리를 긍휼로 채워야 합니다. 예수님은 "이를 행하라. 그러면 진실로 사는 것이다"라고 말씀하셨습니다.

● 이런 경우를 상상해 보세요. 만약에 예수님이 직접 하나님을 사랑하고 다른 사람들을 사랑해야만 영생을 얻을 수 있다고 말씀하신다면 어떻게 할 것인가요? 어떤 질문을 할 것인가요?
  이 질문에 관한 대답은 다양할 것입니다.

● 마음을 다하여 목숨을 다하여 힘을 다하여 뜻을 다하여 하나님을 사랑하라고 하셨는데, 이것은 각각 어떤 의미이며, 왜 중요할까요?
  예수님은 전 존재로 모든 것을 다해 하나님을 사랑하라고 우리를 부르십니다. 마음과 감정으로만 사랑하지 말고 모든 것을 다해 하나님을 사랑하기에 헌신해야 합니다.

마 음

본문의 비유가 도전적으로 들리지만, 새로운 시각과 상상력을 열어 줍니다. 그리고 많은 질문을 야기합니다. 왜 사람은, 심지어 종교 지도자까지도 마땅히 베풀어야 할 긍휼을 베풀지 못할까요? 긍휼이란 무엇일까요? 다른 사람의 안녕을 위해 우리는 어느 정도로 긍휼을 베풀고 책임감을 느껴야 할까요? 이 비유는 이야기를 그냥 들려주는 대신에 진리를 보여 주는 방식으로 우리 마음을 휘젓습니다. 예수님이 보여 주신 진리는 이웃을 향한 사랑과 긍휼은 경계를 뛰어넘으며 장애물도 극복한다는 것입니다.

● 상처 입은 사람을 도울 때 사마리아인이 보여 준 희생에서 무엇을 배울 수 있나요?
  이 질문에 관한 대답은 다양할 것입니다.

● 도움이 필요한 사람에게 어떤 긍휼을 베풀 수 있을까요?
  이 질문에 관한 대답은 다양할 것입니다.

행 동

본문의 비유를 읽고 나면, 예수님의 가르침이 주는 묵직함을 느끼게 됩니다. 우리는 예수 그리스도의 죽음과 부활을 통해 하나님이 분명하게 보여 주신 긍휼을 입었습니다. 그러므로 우리에게는 도움이 필요한 사람에게 자비를 베풀며 이웃을 사랑해야 할 사명이 있습니다. 그리스도인이 늘 구제 사역의 최전선에 있던 이유가 바로 이것입니다. 이러한 활동은 그저 할 일 목록에서 '완수'를 표시하는 것에 지나는 일이 아닙니다. 도움이 필요한 사람에게 인애를 베푸는 것이 아니라 우리 자신이 인애가 되어야 한다는 뜻입니다.

● 긍휼을 베풀지 못한다면, 그리스도인이라고 할 수 있을까요?
  긍휼한 마음이 일어나지 않을 때에는 진정으로 긍휼을 이해하는지, 진실로 긍휼을 체험했는지 묻게 됩니다.

● 우리가 행하는 구제 사역은 우리에게 베푸신 하나님의 자비에 관한 믿음을 어떻게 뒷받침해 주나요?
  이 질문에 관한 대답은 다양할 것입니다.

다음 모임까지 하박국 1~3장; 요엘 1~3장을 읽어 보세요.

04

잃어버린 두 아들

요약

이 과에서는 잃어버린 두 아들을 사랑하는 아버지에 관한 예수님의 유명한 비유를 공부할 것입니다. 등장인물의 태도와 행동에서 죄악 된 인간의 모습과 하나님의 은혜와 치명적인 자기 의를 보게 됩니다. 우리는 이 비유의 원래 청중처럼 하나님의 은혜에 분노하는 것이 아니라, 죄인이라면 누구나 품에 안아 주시는 하나님의 선하심을 기뻐하도록 부름 받았습니다.

성경

누가복음 15장 11~32절

HIS STORY

포 인 트	자신의 죄와 독선을 회개하는 사람에게 하나님은 은혜를 베푸신다.
등 장 인 물	예수님(하나님의 아들, 성자 하나님)
메시지 좌표	이번 이야기는 예수님의 유명한 비유로, 잃어버린 아들을 향한 아버지의 사랑 이야기입니다. 대부분 사람들은 이 이야기를 '탕자의 비유'라고 부릅니다. 그러나 엄밀히 말하자면 이 이야기의 주인공은 탕자가 아닙니다. 그는 잃어버린 두 아들 중 한 명일 뿐입니다. 좀체 주목받지 못했던 주인공이 따로 있으니 바로 자비로운 아버지입니다.

도입

아버지를 떠나는 주인공에 관한 어린이 영화가 많습니다.

- 〈니모를 찾아서〉(Finding Nemo)   작은 물고기 니모는 아버지의 뜻을 거역하고 바다로 나갔다가 잠수부에게 잡혀 치과 수족관에 갇히게 됩니다. 그러자 니모의 아버지 말린은 아들 니모를 찾기 위해 상어와 해파리를 지나 대양을 횡단합니다.
- 〈나 홀로 집에〉(Home Alone)   가족이 사라졌으면 좋겠다고 생각했던 케빈이라는 소년이 가족과 떨어지자 후회하는 이야기입니다.

이처럼 자녀를 잃었다가 다시 찾는 이야기, 간절하게 바라던 것을 성취하는 이야기, 유배되었다가 돌아오는 이야기는 우리의 마음을 움직입니다. 왜 그럴까요? 잃어버렸다가 되찾고, 속박되었다가 자유로워지는 죄인들의 세상살이 여정을 반영하기 때문입니다.

▶ 잃어버렸다가 다시 찾은 사람에 관한 책이나 영화 가운데 제일 좋아하는 것은 무엇인가요? 이런 이야기들이 우리의 마음을 움직이는 이유는 무엇일까요?

내 맘대로 살고 싶다고요

누가복음 15장에는 세 가지 비유가 등장합니다. 잃어버린 양과 잃어버린 동전과 잃어버린 아들에 관한 이야기입니다. 예수님은 이 비유들을 가장 적합한 상황에서 들려주시며 모든 것을 극적으로 드러내셨습니다. 종교 지도자들은 예수님이 악명 높은 죄인들을 받아들이고 그들과 음식을 같이 먹는다며 수군거렸습니다. 그러자 예수님은 아무 설명 없이 이 세 가지 비유를 들려주셨는데, 그중 세 번째 이야기가 특히 의미심장합니다. 이 이야기에서 사랑으로 아들을 맞아들이는 아버지는 예수님이시며, 화난 맏아들은 예수님께 대적하는 자들이라고 할 수 있습니다.

[11]또 이르시되 어떤 사람에게 두 아들이 있는데 [12]그 둘째가 아버지에게 말하되 아버지여 재산 중에서 내게 돌아올 분깃을 내게 주소서 하는지라 아버지가 그 살림을 각각 나눠 주었더니 [13]그 후 며칠이 안 되어 둘째 아들이 재물을 다 모아 가지고 먼 나라에 가 거기서 허랑방탕하여 그 재산을 낭비하더니 [14]다 없앤 후 그 나라에 크게 흉년이 들어 그가 비로소

students

도입 선택

군중 속에서 소외감을 느낀 적이 있나요? 주변의 어떤 얼굴도, 어떤 장소도 익숙하지 않고 낯설게 느껴질 때 공포감이 밀려옵니다. 그러다가 찾던 사람을 만나거나 가고 싶은 장소에서 사랑하는 사람들과 재회하면 다시 편안하고 기쁘고 행복해집니다.

- *가족을 잃어버린 적이 있었나요? 그때 기분이 어땠는지 말해 보세요. 어떤 일이 있었나요? 그들을 어떻게 찾았나요? 찾았을 때 기분이 어땠나요?*

우리와 하나님의 관계는 사랑하는 가족이나 친구와 헤어졌다가 다시 만나려고 노력하는 것과 같습니다. 하나님을 거역한 죄는 우리를 하나님으로부터 분리시켰습니다. 그러나 하나님은 사랑으로 우리에게 은혜와 자비를 베푸셨습니다. 하나님은 예수님의 삶과 죽음과 부활을 통하여 우리를 집에 돌아오게 하시고, 하나님과 화해하게 하십니다.

- *하나님은 예수님을 통해 우리에게 하나님과 화해할 길을 열어 주십니다. 이 사실을 알고 난 후 어떤 변화를 체험했나요?*

연 대 표

잃어버린 두 아들
TWO LOST SONS
방탕하고 자기 의에 집착하는
형제를 통해 예수님이 하나님의
은혜를 알려 주시다.

바리새인과 세리
THE PHARISEE AND THE TAX COLLECTOR
예수님이 자기 의의 위험에 대
해 알려 주시다.

악한 종
THE WICKED TENANTS
예수님이 하나님의 심판과 회개
의 필요성을 알려 주시다.

물이 변하여 된 포도주
WATER INTO WINE
날마다 필요한 것이 채워져야
하는 우리를 예수님이 긍휼히
여기시다.

하늘에서 내린 떡
BREAD FROM HEAVEN
예수님은 우리에게 육체적으로
필요한 것과 영적으로 필요한
것을 모두 공급하시다.

물 위를 걸으심
WALKING ON WATER
창조물을 지배하는 권리가 있음
을 예수님이 입증하시다.

궁핍한지라 ¹⁵가서 그 나라 백성 중 한 사람에게 붙어 사니 그가 그를 들로 보내어 돼지를 치게 하였는데 ¹⁶그가 돼지 먹는 쥐엄 열매로 배를 채우고자 하되 주는 자가 없는지라 ¹⁷이에 스스로 돌이켜 이르되 내 아버지에게는 양식이 풍족한 품꾼이 얼마나 많은가 나는 여기서 주려 죽는구나 ¹⁸내가 일어나 아버지께 가서 이르기를 아버지 내가 하늘과 아버지께 죄를 지었사오니 ¹⁹지금부터는 아버지의 아들이라 일컬음을 감당하지 못하겠나이다 나를 품꾼의 하나로 보소서 하리라 하고 (눅 15:11~19)

예수님 당시 문화에서는 아버지가 죽으면 대개 그 아들들이 가족의 자산과 부동산을 포함하는 상당한 유산을 물려받았습니다. 그러나 예수님의 비유에서 둘째 아들은 유산을 너무 일찍 요구했습니다. 오늘날로 치면, 십 대 소년이 아버지의 얼굴에 침을 튀기며, "아버지가 죽었으면 좋겠어!" 하고 소리치는 것과도 같습니다. 아버지가 죽기 전에 유산을 먼저 요구한다는 것은 아버지가 죽기까지 기다릴 수 없다는 뜻입니다. 둘째 아들은 아버지와의 관계가 무너질지라도 아버지가 줄 수 있는 것을 당장 받기를 원했습니다.

더 놀라운 것은, 아버지가 둘째 아들이 요구한 것을 주었다는 사실입니다! 실제로 아버지는 두 아들 모두에게 유산을 미리 나누어 주었습니다(12절, "각각 나눠"). 당시에 맏아들이 아버지와 둘째 아들 사이에 다리를 놓아주었더라면 공개적인 망신은 피할 수 있었을 것입니다. 그러나 맏아들은 가족 관계를 회복하려는 노력을 하지 않은 채, 조용히 행운을 두 배로 챙겼습니다. 동생의 행동을 꾸짖지도 않았고, 아버지의 명예를 지키고자 열정을 쏟지도 않았습니다. 맏아들은 유산을 챙겼고, 집에 조용히 눌러살며 침묵을 지켰습니다.

예수님은 잃어버린 사람의 두 가지 유형을 묘사하셨습니다. 첫째 유형은 공개적으로 반항하는, 즉 '대놓고' 죄짓는 둘째 아들입니다. 둘째 아들은 아버지께 자신이 원하는 것을 요구했는데, 이는 인간 죄의 참담한 모습을 단적으로 보여 줍니다. "하나님, 저에게 주실 수 있는 것을 다 주십시오. 그러나 저는 하나님을 원하지는 않아요!" 이와 달리 둘째 유형은 미묘한 형태로 죄 가운데 살아가는 맏아들입니다. 맏아들은 하나님과 가까운 것처럼 보이지만, 실제로는 먼 사람을 가리킵니다. 교회의 일원으로서 하나님의 축복을 바라면서도, 자기 삶에서 하나님의 이름이 높여지거나 하나님을 영화롭게 하는 것에는 관심이 없는 사람입니다. 아버지나 형제에게는 관심이 없고, 오로지 자신과 그 상황에서 얻을 것에만 관심이 있습니다.

예수님의 극적인 비유는 둘째 아들이 새로 얻은 재산을 현금으로 바꾸는 것으로 이어졌습니다. 배은망덕한 짓을 한 뒤에 탕자는 먼 나라로 가서 부주의하게 생활하며 모든 재산을 날렸습니다. 자기 돈과 인생을 낭비하다가 마침내 기근이 닥치자 절망적인 상황에 처하게 되었습니다. 둘째 아들은 외국인을 위해 일할 뿐만 아니라(당시 유대 문화권에서는 처참한 일이었습니다), 동물 중에서도 유대인이 제일 더럽게 여기며 멸시하는 돼지를 먹이는 일까지 하게 되었습니다! 예수님의 청중 가운데 유대인들은 둘째 아들이 지은 끔찍한 죄에 틀림없이 소름이 돋았을 것입니다.

돌아오기만 하면 아버지는 달려와 반기실 걸

잃어버린 아들에 관한 비유에서 압권은 탕자인 둘째 아들이 고향으로 돌아오는 장면입니다. 예수님은 아직 먼 거리임에도 불구하고 아버지가 둘째 아들을 먼저 봤다고 말씀하셨습니다. 아마도 그는 고향 마을에 들어서서 큰 길로 들어서려는 참이었을 것입니다. 마을 사람의 대부분이 모여 사는 곳으로 이어지는 큰길 말입니다. 아버지는 안타까운 마음으로 둘째 아들이 돌아오기를 기다리며 지켜봤을 것입니다.

[20]이에 일어나서 아버지께로 돌아가니라 아직도 거리가 먼데 아버지가 그를 보고 측은히 여겨 달려가 목을 안고 입을 맞추니 [21]아들이 이르되 아버지 내가 하늘과 아버지께 죄를 지었사오니 지금부터는 아버지의 아들이라 일컬음을 감당하지 못하겠나이다 하나 [22]아버지는 종들에게 이르되 제일 좋은 옷을 내어다가 입히고 손에 가락지를 끼우고 발에 신을 신기라 [23]그리고 살진 송아지를 끌어다가 잡으라 우리가 먹고 즐기자 [24]이 내 아들은 죽었다가 다시 살아났으며 내가 잃었다가 다시 얻었노라 하니 그들이 즐거워하더라(눅 15:20~24)

이 이야기에서 아버지가 보인 행동들이 나타내는 몇 가지 특징을 나열해 보십시오. 이 특징이 하나님의 성품이라면 어떤 면에서 그럴까요?

아버지의 아들 사랑은 멈추지 않고 계속되었습니다. 아버지의 소망은 아들과의 관계가 회복되는 것이었습니다. 아들과 다시 이야기하고, 함께 웃고, 함께 시간을 보낼 수 있기를 바랐습니다. 둘째 아들을 다시 보고 싶은 열망으로 아버지는 마을 어귀로 나가고 또 나가 언제쯤 그가 집으로 돌아오는지 멀리서 응시했습니다.

예수님은 아버지가 마을 어귀에 있다가 마침내 아들을 발견하고는 예복들을 꺼내 들고 달려갔다고 말씀하셨습니다. 중동 문화권에서는 사람이 달려가는 것은 부끄러운 일이었으나, 그런 금기가 아버지를 멈춰 세울 수는 없었습니다. 둘째 아들은 자신이 하나님과 아버지께 죄를 지었음을 깨닫고, 이제 자기는 정말이지 아들이라 불릴 자격이 없음을 거듭 인정했습니다. 그는 스스로 가족의 일원이 될 자격도, 가족의 사랑을 받을 자격도 없다고 여겼습니다. 자신이 지은 죄의 무게와 깊이를 느꼈고, 그동안 자기 때문에 아버지가 당했을 수치와 고통을 짐작할 수 있었습니다. 아들은 뼈저리게 뉘우쳤습니다. 그러나 아버지는 그를 종이 아닌 아들로 받아주었습니다.

내 할 일 다 했는데, 난 뭐예요?

students

이제 예수님은 비유의 시작부터 이때까지 전혀 언급하지 않았던 맏아들에게 초점을 돌리셨습니다.

students

25맏아들은 밭에 있다가 돌아와 집에 가까이 왔을 때에 풍악과 춤추는 소리를 듣고 26한 종을 불러 이 무슨 일인가 물은대 27대답하되 당신의 동생이 돌아왔으매 당신의 아버지가 건강한 그를 다시 맞아들이게 됨으로 인하여 살진 송아지를 잡았나이다 하니 28그가 노하여 들어가고자 하지 아니하거늘 아버지가 나와서 권한대 29아버지께 대답하여 이르되 내가 여러 해 아버지를 섬겨 명을 어김이 없거늘 내게는 염소 새끼라도 주어 나와 내 벗으로 즐기게 하신 일이 없더니 30아버지의 살림을 창녀들과 함께 삼켜 버린 이 아들이 돌아오매 이를 위하여 살진 송아지를 잡으셨나이다 31아버지가 이르되 얘 너는 항상 나와 함께 있으니 내 것이 다 네 것이로되 32이 네 동생은 죽었다가 살아났으며 내가 잃었다가 얻었기로 우리가 즐거워하고 기뻐하는 것이 마땅하다 하니라 (눅 15:25~32)

예수님은 맏아들이 집에 돌아온 동생을 위해 잔치가 열린 장면을 보게 되었다고 묘사하셨습니다. 그런 경우에 당시 문화에서는 맏아들이 지체 없이 집으로 달려가 잔치에 합류하는 것이 일반적인 일이었습니다. 그러나 맏아들은 들어가지 않았고, 집 밖에서 아버지의 불공평한 행사에 불평하는 편을 택했습니다. 그는 참석할 가치가 없는 잔치로 여겼습니다.

앞서 우리는 아버지가 초라한 행색으로 마을 어귀로 들어서는 둘째 아들을 보고 달려간 장면을 봤습니다. 이번에도 아버지는 거만하고 오만한 맏아들에게 먼저 다가갔습니다. 집에 들어가 동생의 귀환을 축하하자고 설득했습니다. 아버지의 사랑을 두 아들은 각기 다른 방식으로 받아들이지 못했습니다. 둘째 아들은 나쁜 행동으로 아버지의 사랑과 담을 쌓았고, 맏아들은 선한 행동으로 아버지의 사랑과 담을 쌓았습니다. 형은 집안에서 자신의 권리를 주장할 수 있을 만큼만 기계적으로 행동했을 뿐 진정한 가족이 되지는 못했습니다. 아버지를 거역했던 둘째 아들은 회개하고 돌아와 잔칫상을 받았지만, '그토록 착한' 형은 투덜거리며 여전히 밖에 서 있었습니다.

맏아들은 둘째 아들을 '동생'이라고 부르지도 않았습니다. 대신에 아버지의 아들이라고 불렀습니다. 예수님은 자비로운 아버지가 맏아들의 불평에 답하는 것으로 비유를 마무리하셨습니다. 맏아들과 달리, 아버지는 맏아들에게 "아들아" 하고 불렀습니다. 아들에게 부자 관계를 상기시켰던 것입니다. 아버지는 맏아들이 집안으로 함께 들어가 가족이 온전해지기를 진심으로 바랐습니다.

아버지는 재물이나 성과나 순종에 초점을 두지 않았습니다. 아버지는 관계의 회복을 원했습니다. 맏아들의 성실함이나 둘째 아들의 무모한 삶이 문제가 아니었습니다. 둘째 아들이 환영을 받았던 것은 그가 했던 일 때문이 아니라 부자 관계가 회복되었기 때문이었습니다.

아버지가 맏아들을 대하는 태도는 은혜로운 하나님의 전형적인 모습입니다. 하나님은 사람들과 참으로 비슷하십니다. 하나님의 창조하심과 선하심과 보편적 은혜가 그렇습니다. 하나님은 어디서나 누구나 회개하고 돌아오라고 부르십니다.

알짬 교리 **99**

회개

회개는 구원으로 이끄시는 하나님의 은혜로운 부름에 대한 응답입니다. 회개는 자기 죄에 대한 진정한 슬픔과 (눅 5:1~11), 자기 죄에서 돌이켜 그리스도께로 나아가는 것과(행 26:15~20), 지속적인 변화와 변혁을 반영하는 삶을(시 119:57~60) 수반합니다. 하나님의 중생 사역에 대응되는 인간 행위, 즉 사람 편에서 일어난 회심입니다.

그리스도와의 연결

예수님은 청중이 이야기의 결론(또는 해결책)을 손꼽아 기다리도록 만드시고는 비유를 마치셨습니다. 맏아들은 집으로 들어가 잔치에 참여했을까요? 답은 독자의 몫입니다. 우리 역시 이 이야기의 마지막 단계를 몸소 실천해 보라고 초대받은 셈입니다. 하나님의 집으로 들어가 하나님의 가족이 될 것인가요? 아니면 밖에 머물며 겉으로는 하나님과 가까워 보이지만 실은 하나님의 마음에서 멀어진 채로 살아갈 것인가요? 아버지와 진정한 관계를 맺으려 노력하지 않으면서 열심히 일만 할 것인가요? 집으로 들어가지 않을 것인가요? 들어와 잔치의 주인공이 될 것인가요? 이 이야기의 대단원은 우리 각 사람의 결단에 달려 있습니다.

YOUR STORY

하나님이 들려주시는 이야기는 오늘을 사는 나와 늘 연결되어 있습니다. 아래 질문에 답하면서 성경 이야기가 내 이야기와 어떻게 연결되는지 생각해 봅시다.

▶ 둘째 아들은 자신의 요구를 아버지에게 주장했습니다. 그렇다면 우리는 어떻게 하나님과 대화해야 할까요?
　이 질문에 관한 대답은 다양할 것입니다.

▶ 하나님은 어떤 방식으로 우리가 바라는 이상으로 대해 주셨나요?
　이 질문에 관한 대답은 다양할 것입니다.

▶ '선한 행위'를 하면서도 어떻게 하나님과의 관계가 단절될 수 있을까요?
　이 질문에 관한 대답은 다양할 것입니다.

▶ 둘째 아들의 죄를 경계하는 만큼 맏아들의 죄도 경계해야 하는 까닭은 무엇일까요?
　이 질문에 관한 대답은 다양할 것입니다.

하나님의 이야기
하나님이 그분의 아들
예수 그리스도를 통해
우리를 구속해 주신 이야기

우리의 이야기
우리의 이야기가
하나님의 이야기와
만나는 곳

The Gospel Project

YOUR MISSION

생 각

아버지는 둘째 아들을 단순히 받아주기만 한 것이 아니었습니다. 마을 전체가 이 극적인 장면을 지켜보는 가운데, 아버지는 옷과 신발과 가락지를 집에서 가져오게 했습니다. 아들은 돼지를 치다 왔으니 분명히 더럽고 고약한 냄새가 났을 것입니다. 그것을 본 아버지는 아들이 그런 험한 꼴로 큰길을 걷게 하고 싶지 않았을 것입니다. 아버지는 아들임을 인증하는 가락지와 제일 좋은 옷을 가져오게 하여 아들이 수치를 당하지 않게 하였습니다. 오히려 아버지가 거리 한복판을 달려와 수치를 떠안았고, 아들을 차려 입힘으로써 명예를 지키게 했습니다.

- 아버지는 둘째 아들을 어떻게 얼마나 환대했나요?
  이 질문에 관한 대답은 다양할 것입니다.

- 이 비유는 구원을 어떻게 구체적으로 묘사하고 있나요?
  이 질문에 관한 대답은 다양할 것입니다.

마 음

이 비유는 둘째 아들처럼 대놓고 거역하는 죄와, 큰아들처럼 속에서 곪아 있는 죄의 두 가지 유형을 묘사합니다. 은혜로운 아버지는 두 아들을 모두 사랑으로 존중해 주었습니다. 그러나 울며 회개하고 아버지의 품에 안긴 둘째 아들과 달리 맏아들은 투덜대며 불평했습니다. 맏아들은 교만한 태도로 자신이 아버지를 잘 모시고 있다고 자부했으나 이러한 태도는 그가 아버지를 자신이 복종해야 할 상전쯤으로만 여겼다는 사실과 자신이 부당하게 대우받고 있다고 여기고 있음을 드러내 주었습니다.

▶ 하나님을 향한 마음을 닫으면, 하나님의 용서를 발견하고 돌아오는 죄인들을 향한 마음까지도 닫게 되는데, 어떤 경우에 그렇습니까?
  처음으로 교회에 나오게 된 사람에게 어떻게 반응하는가에 따라 그 신자의 마음이 드러납니다. 예컨대, 그리스도 안에서 하나님의 은혜를 체험한 사람은 다른 죄인이 같은 은혜를 체험하면 기뻐합니다. 즉 용서받은 사람은 다른 사람을 용서하고, 긍휼을 체험한 사람은 다른 사람에게 긍휼을 베풉니다. 그러나 하나님을 향해 마음을 닫은 사람은 은혜가 필요한 죄인에게도 그러한 마음을 드러낼 것입니다.

▶ 복음은 닫힌 마음을 어떻게 변화시키고 도전을 줍니까?
  이 질문에 관한 대답은 다양할 것입니다.

행 동

둘째 아들에게서 배우게 되는 것은 반항하며 빠져든 죄가 결국 인생을 낭비하게 한다는 것입니다. 들러붙어 있던 것의 나락으로 떨어지게 하기 때문입니다. 사람들은 마약이나 술이나 관계나 텔레비전 등에 들러붙어 삽니다. 자기에게 희망을 준다고 여기는 무언가 또는 누군가에게 집착하게 됩니다. 그러나 집착은 우리를 허망한 것의 노예로 전락하게 만들 뿐입니다. 맏아들과 둘째 아들도 각각 그 덫에 빠졌습니다. 우리는 이러한 유혹을 매일 물리쳐야 합니다.

- 오늘날 우리는 하나님이 주신 좋은 선물들을 어떤 식으로 낭비하고 있을까요?
  이 질문에 관한 대답은 다양할 것입니다.

- 하나님의 선물들을 낭비하면, 어떤 면에서 자유가 아닌 노예 상태가 될까요?
  이 질문에 관한 대답은 다양할 것입니다.

> 다음 모임까지
> 예레미야 1~8장을
> 읽어 보세요.

05

꼿꼿한 사람 옆의 고개 숙인 사람

요 약

이 과에서는 예수님이 들려주시는 바리새인과 세리에 관한 비유를 공부할 것입니다. 그리고 스스로 의롭게 여기는 것의 위험과, 긍휼히 여김을 받아야 할 필요와, 믿음으로 의롭게 된다는 말의 의미를 배울 것입니다. 하나님은 우리를 부르시고, 우리의 죄를 일깨우시고, 우리에게 하나님의 긍휼이 필요함을 알려 주시고, 하나님이 아닌 자신을 믿는 사람에게 겸손히 은혜의 복음을 선포하라고 말씀하십니다.

성 경

누가복음 18장 9~14절

HIS STORY

포 인 트	하나님은 겸손한 사람을 높이시고, 스스로 높아진 사람을 낮추신다.
등 장 인 물	예수님(하나님의 아들, 성자 하나님)
메시지 좌표	예수님이 들려주신 바리새인과 세리에 관한 비유는 자기 의에 안주하는 것의 위험을 알려 줍니다. 바리새인은 자기가 다른 사람들, 특히 그와 함께 성전에 있던 세리와 같지 않다는 사실에 자부심을 느끼며 하나님께 감사했습니다. 그러나 하나님 앞에서 진정으로 겸손한 회개가 무엇인지를 보여 준 사람은 바로 세리였습니다.

도 입

자신의 힘으로 서고, 자기를 높이고, 자기 뜻대로 행동하고, 스스로 진리를 찾고, 자신 안에서 답을 찾으라는 말을 많이 듣게 됩니다. 사람들은 이런 생각을 하나님께도 적용합니다. 이러한 사람들은 하나님께 도달하는 데 필요한 것을 자신 안에 지니고 있다고 생각합니다. 그러나 성경은 다르게 전합니다.

▶ 자기 의를 믿도록 유혹받은 적이 있나요?

마크 베터슨(Mark Batterson)이 한 말을 생각해 보십시오. "탄탄한 기반은 오직 하나인데, 바로 예수 그리스도뿐이십니다. 걱정할 필요가 없을 만큼 공적을 쌓았다고 생각할지라도 죄 없으신 하나님의 아들이 정하신 의로움의 기준에는 미치지 못할 것입니다. 해결책은 무엇일까요? 복음입니다. 진정한 정체성과 영원한 안전을 찾을 수 있는 것은 오직 하나뿐입니다. 그것은 그리스도께서 당신을 위해 하신 일입니다."

하나님의 기준은 완전하고 의로워서 오로지 그리스도께서만 성취하실 수 있습니다. 우리는 죄 때문에 하나님의 영광에 이르지 못합니다(롬 3:23). 우리는 스스로 의롭게 될 수 없습니다. 그러나 그리스도의 피로 말미암아 하나님은 우리에게 의로움을 부여하셨습니다(엡 2:13). 그것을 깨달을 때, 예수님이 말씀하신 세리처럼 우리는 겸손해집니다. 세상이 아니라 하나님을 바라봅니다.

▶ 마치 바리새인처럼 자신이 의롭다고 생각한 적이 있나요?

▶ 세리처럼 오직 하나님의 은혜와 긍휼로만 구원받을 수 있음을 깨달은 적이 있다면 언제였나요?

자기 멋에 살아 봐야 하나도 멋지지 않아

지금까지 우리는 예수님이 무언가를 강조하실 때 특정한 이야기를 들려주신 것을 보았습니다. 베드로가 형제를 몇 번 용서해야 하는지 질문하자, 예수님은 무자비한 종의 비유를 들려주셨습니다. 율법 교사가 "누가 내 이웃입니까?" 하고 질문하자, 예수님은 선한 사마리아인의 비유를 들려주셨습니다. 예

도입 선택

좋은 선생님을 만난 적이 있나요? 좋은 선생님은 학생들이 감사하건 안 하건, 그들이 내용을 제대로 파악할 수 있도록 다양한 방법을 동원하여 이해를 돕습니다. 여러 이야기를 들려주고, 실제로 해 보도록 하고, 비교하거나 살펴볼 수 있는 자료와 그림 등을 보여 줍니다. 좋은 선생님의 목표는 학생들이 시험을 통과할 만큼 충분한 지식을 갖출 뿐만 아니라, 공부한 내용을 진정으로 깊이 이해하도록 돕습니다.

• 학교 선생님 중에 어떤 선생님이 가장 좋았나요? 어떤 선생님이 가장 싫었나요? 두 분의 차이는 무엇인가요?

그리스도 신앙에 관한 교리 가운데 하나로 이신칭의(justification by faith), 즉 '오직 믿음으로 말미암는 의'가 있습니다. 이는 인간 자신의 노력이 아닌 그리스도의 사역과 믿음을 통하여 하나님 앞에 의롭다고 인정을 받게 된다는 것입니다. 이런 '기독교의 핵심 교리'는 믿음에 필수적입니다(5과의 '알짬 교리 99'를 참조하세요). 예수님은 이신 칭의 교리를 가르쳐 주셨습니다. 이 교리를 단순히 설명하기보다는 유비적 방식으로 몸소 실천해 보임으로써 가르치셨습니다. 교리의 핵심 진리를 이야기로 묘사하신 것입니다.

연 대 표

바리새인과 세리
THE PHARISEE AND THE TAX COLLECTOR
예수님이 자기 의의 위험에 대해 알려 주시다.

악한 종
THE WICKED TENANTS
예수님이 하나님의 심판과 회개의 필요성을 알려 주시다.

물이 변하여 된 포도주
WATER INTO WINE
날마다 필요한 것이 채워져야 하는 우리를 예수님이 긍휼히 여기시다.

하늘에서 내린 떡
BREAD FROM HEAVEN
예수님은 우리에게 육체적으로 필요한 것과 영적으로 필요한 것을 모두 공급하시다.

물 위를 걸으심
WALKING ON WATER
창조물을 지배하는 권리가 있음을 예수님이 입증하시다.

중풍 병자
THE PARALYTIC
치유하고 죄를 용서하는 모든 권세를 예수님이 가지시다.

수님이 회개한 죄인들을 식탁에 초대한다고 종교 지도자들이 비난하자, 예수님은 방탕한 아들에 관한 비유를 들려주셨습니다.

예수님은 청중의 마음을 겨냥하여 이야기를 들려주셨습니다. 이 과의 비유 역시 지금까지 우리가 살펴본 다른 비유들과 유사합니다. 예수님은 영적 필요에 관해 설명하고자 이 이야기를 들려주셨습니다.

예수님의 이야기로 들어가기에 앞서 누가가 뭐라고 하는지부터 살펴보아야 합니다.

> 또 자기를 의롭다고 믿고 다른 사람을 멸시하는 자들에게 이 비유로 말씀하시되(눅 18:9)

당시 이 말씀을 듣던 사람들은 누구일까요? 예수님은 자기 스스로 의롭다고 믿으며 다른 사람을 멸시하던 사람들을 겨냥하셨습니다. 두 행동의 상관성을 간과하지 마십시오. 두 행동은 서로 연관되어 있습니다. 영적 근시안은 영적 교만을 초래합니다. 스스로 의롭다고 믿으면, 다른 사람을 멸시하게 됩니다. 다른 사람을 멸시하면, 자신이 다른 사람보다 낫다고 생각하게 됩니다. 그렇게 악순환이 계속되는 것입니다.

스스로 자신을 의롭게 여기는 것은 점차 어떻게 견고해질까요? 첫째, 자신이 의롭다고 믿으면 독선적으로 변해 다른 사람을 멸시하게 됩니다. 둘째, 멸시하던 사람에게서 죄를 발견하면 자신을 더욱더 신뢰하게 됩니다. 왜냐하면 자신이 그 사람보다 더 의롭다고 여기기 때문입니다. 그래서 다른 사람을 더 멸시하게 됩니다. 자기 의로 눈이 멀 때까지 이런 일이 걷잡을 수 없이 반복됩니다.

이 두 요소가 심각한 문제가 된 까닭은 우리가 '스스로 만들어 가는 개인'의 가치를 높이 평가하는 세상에 살고 있기 때문입니다. "자기 자신을 신뢰하라. 자신감을 가져라. 스스로 해 봐라." 우리 사회에서는 이런 말로 세상에서 자신만의 길을 계획하며 자립을 추구하라고 독려합니다.

그러한 마음가짐을 구원에 적용하면 정말로 위험합니다. 영적 무덤을 파는 셈입니다. 자기 힘과 노력을 믿으면서 하나님께 스스로 나아갈 수 있다는 생각이 오늘날에는 숭고해 보일 수 있습니다. 심지어 찬사의 대상으로 여겨지기도 합니다. 그러나 이러한 생각은 자신을 너무 모르기 때문에 하는 것입니다. 자기 힘으로 하나님을 기쁘게 해 드릴 수 있다는 생각, 즉 스스로 의로워질 수 있다는 생각은 위험합니다. 이는 하나님의 기준을 사람이 따라잡을 수 있는 것쯤으로 폄하하거나, 하나님과의 단절을 초래한 모든 죄를 간과한 결과입니다.

스스로 의롭게 여길 때 나타나는 특징은 무엇인가요?

기독교는 이러한 악순환의 고리를 끊어 버립니다. 복음서에 따르면, 우리는 하나님만이 우리를 구원하신다는 것을 믿어야 하며, 예수 그리스도의 의를 의지해야 합니다. 복음은 자신을 믿고 스스로 의롭게 여기려는 경향의 핵심을 찌릅니다. 또한 다른 사람에 대해 느낄 수 있는 우월감을 깨뜨립니다.

나는 근사하고 멋져!

예수님의 비유는 성전에서 기도하는 두 사람을 보여 줍니다. 바리새인과 세리입니다. 바리새인의 기도부터 보겠습니다.

[10]두 사람이 기도하러 성전에 올라가니 하나는 바리새인이요 하나는 세리라 [11]바리새인은 서서 따로 기도하여 이르되 하나님이여 나는 다른 사람들 곧 토색, 불의, 간음을 하는 자들과 같지 아니하고 이 세리와도 같지 아니함을 감사하나이다 [12]나는 이레에 두 번씩 금식하고 또 소득의 십일조를 드리나이다 하고(눅 18:10~12)

성경에서 우리는 바리새인이 품은 나쁜 동기를 읽곤 합니다. 그러나 당시 청중은 적어도 처음에는 바리새인을 나쁜 사람으로 여기지 않았을 것입니다. 사람들은 바리새인에 대해 경건하게 신앙을 실천하는 품위 있고 바른 종교인이요 모범 시민으로 여겼을 것입니다.

첫째, 바리새인은 기도하러 성전에 갔습니다. 이것은 좋은 일입니다. 그렇지 않나요? 그는 주님을 의지하며 기도하는 사람처럼 보입니다. 둘째, 그는 자기가 행한 선한 일들로 하나님께 감사했습니다. 이것도 좋은 일입니다. 그렇지 않나요? 바리새인은 자기가 한 선한 일들을 다 자기 덕분이라고 여긴 것이 아니고 다른 악한 사람들과 같지 않다는 사실로 인해 하나님께 감사했습니다.

그렇다면 무엇이 문제일까요? 바리새인은 기도하며 했던 말과 행동으로 자신을 스스로 의롭게 여기고 있음을 분명히 드러내고 있습니다. 그는 성전에 있었는데, 아마도 다른 사람들 앞에 보란 듯이 서 있었을 것입니다. 바리새인은 하나님께 감사를 표했지만, 하나님이 위대하고 거룩하셔서가 아니라 자신이 다른 사람들과 다르다고 여겼기 때문입니다.

바리새인은 다른 사람들을 죄인, 곧 '토색하고 불의하고 간음한 자'로 정의했습니다. 그리고 자신과 같이 성전에 있던 세리에 대해서는 "나는 이 세리와도 같지 않다"라고 말했습니다. 그는 자신에 관해서는 잘 모르면서 주변 사람에 관해서는 확실히 아는 것 같습니다. 기도하면서 그는 하나님을 진심으로 바라지 않고 주변 사람을 내려다보고 있었던 것입니다. 그가 진실로 하나님의 장엄하심을 알았다면, 자신도 그 세리처럼 긍휼을 구해야 하는 비열한 죄인에 불과함을 알았을 것입니다.

이 이야기는 사람이 자기 정당화의 늪에 빠지기가 얼마나 쉬운지를 보여 줍니다. 바리새인은 하나님과 사람 앞에서 자신의 선행을 모조리 나열했습니다. 그는 그러한 선행이 자신의 위상을 높여 줄 것이라 생각했습니다. 누군가가 자신을 정당화하려는 마음을 알아차리지 못하고 선행에 연연한다면, 그것은 자신이 스스로 혐의를 벗고 정당하다고 주장하는 것과 같습니다. "나는 내게 선한 마음을 주신 하나님께 감사하는 거야! 나는 누가 봐도 독실한 사람이야! 주변에 나보다 더 잘하는 사람이 있니? 그래도 내가 지키는 종교 의식이 중요하지 않다고 말할래?"

하지만 자기 의가 감사의 말로 포장되거나 하나님의 영광을 위한 열정으로 인한 행동으로 외견상 드러날 때조차 자기 의는 여전히 자기 합리화일 뿐입니다. 잘못된 판단을 유발하는 것은 잘못된 믿음입니다. "다른 사람에 대해서는 행동으로 엄밀하게 판단하지만, 자신에 대해서는 의도로 판단한다"라는 말이 있습니다. 우리는 자신을 판단할 때보다 주변 사람을 판단할 때 항상 더 모질게 합니다.

내가 어떻게 감히…

students

세리는 성전에 서서 자기 자신에 관해 기도했던 바리새인과는 매우 다른 모습으로 기도했습니다.

students

[13]세리는 멀리 서서 감히 눈을 들어 하늘을 쳐다보지도 못하고 다만 가슴을 치며 이르되 하나님이여 불쌍히 여기소서 나는 죄인이로소이다 하였느니라 [14]내가 너희에게 이르노니 이에 저 바리새인이 아니고 이 사람이 의롭다 하심을 받고 그의 집으로 내려갔느니라 무릇 자기를 높이는 자는 낮아지고 자기를 낮추는 자는 높아지리라 하시니라(눅 18:13~14)

students

바리새인과 세리의 차이에 주목하십시오. 잠시 두 사람에 관한 묘사를 읽고, 그 차이점들을 적어 보십시오.

자기 가슴을 치는 모습을 통해 세리가 깊이 후회하고 있음을 알 수 있습니다. 그는 하나님의 심판을 면하게 해 달라고 기도했습니다. 속죄 기도를 드리며, 화목 제물을 통해 하나님의 자비가 베풀어지기를 기도한 것입니다. 바리새인은 그가 하나님을 위해 해 왔던 모든 일에 관심을 집중했습니다. 그러나 세리는 하나님이 그를 위해 해 주시기를 바라는 것이야말로 유일한 소망임을 알았습니다.

예수님은 비유를 마무리하면서 그 의미를 설명해 주셨습니다. 세리는 의롭게 되어 집으로 돌아갔지만, 바리새인은 그렇지 않았습니다. 이러한 결말은 당시 청중에게 큰 충격을 주었을 것입니다. "종교인인 바리새인이 구원을 받지 못하다니, 저 혐오스럽고 경멸스러운 세리가 의롭게 여김을 받다니!" 하고 말입니다.

당시 세리는 사회적으로 멸시의 대상이었습니다. 그렇기 때문에 청중은 이 비유의 결론을 듣고 충격을 받았을 것입니다. 그들은 세리를 유대 문화보다는 로마 제국의 기득권에 가까운 포악자요 강도로 봤기 때문입니다. 어떻게 도둑이 종교 지도자보다도 의로운 채로 집에 갈 수 있을까요?

이 이야기는 오직 믿음으로 말미암는 의에 관한 것입니다. 그것은 행위 때문이 아니라 하나님의 은혜 때문에 구원을 받는다는 가히 충격적인 진리를 담고 있기 때문에, 이 이야기를 접하면 어리둥절하게 됩니다(엡 2:8~9). 만약 이 이야기가 충격적으로 다가오지 않는다면, 이 교리가 얼마나 혁명적인지를 헤아릴 만한 정의의 기준을 상실했기 때문입니다. 그러나 오직 믿음으로 말미암는 의는 사람들이 거리끼는 것이겠지만 하나님이 베푸시는 매우 아름다운 은혜입니다. "하나님, 이 죄인에게 긍휼을 베푸소서. 하나님, 제게서 분노를 거두어 주소서. 하나님, 제 소망은 오직 주님께 있습니다." 하나님이 베푸시는 은혜의 선물에 대항하는 바리새인과 달리 회개하는 심령은 사랑의 은사로 따스해지며, 사랑 때문에 변화됩니다.

알짬 교리 **99**

이신칭의

칭의란 그리스도의 구속적인 죽음이 가져온 의에 기초하여 한 사람이 하나님 앞에서 객관적으로 의롭다고 선포되는 은혜를 가리킵니다(롬 8:33~34). 이러한 선포는 그리스도를 믿는 믿음을 통해 일어나며, 인간의 행위나 노력의 결과가 아닙니다(엡 2:8~9). 칭의를 통해서 하나님 앞에 바로 서게 되며, 그 결과 이전에 멀어지고 적대적이었던 관계에서 벗어나 하나님의 권속으로 들어가게 됩니다.

그리스도와의 연결

세리의 눈물은 죄인에게서 하나님의 진노를 거두어 달라는 간청이었습니다. 예수님은 우리를 대신하여 희생하며 죽으셔서 우리가 받아야 할 하나님의 진노를 거두어 가셨습니다. 그리스도께서 우리 대신 하나님의 진노를 거두어가셨으므로 우리도 세리처럼 하나님께 부르짖어 진노를 거두시고 긍휼을 베풀어 주시도록 간구할 수 있습니다.

5~10분

YOUR STORY

하나님이 들려주시는 이야기는 오늘을 사는 나와 늘 연결되어 있습니다. 아래 질문에 답하면서 성경 이야기가 내 이야기와 어떻게 연결되는지 생각해 봅시다.

▶ **자기 자신을 판단할 때보다 다른 사람을 판단할 때 더 모질어지기 쉬운 까닭은 무엇이라고 생각하나요?**
이 질문에 관한 대답은 다양할 것입니다.

▶ **우리는 어떻게 하면 자신이 하나님의 은혜와 자비가 필요한 존재임을 깨달을 수 있을까요?**
다른 사람의 기준에 맞추어 살아갈 것이 아니라, 정의의 기준이신 하나님을 바라보아야 합니다. 하나님을 바라본다면, 자신이 생각한 것만큼 그렇게 선하지 않다는 사실을 깨닫고, 세리처럼 하나님의 은혜와 자비를 구하게 될 것입니다.

▶ **바리새인과 세리의 각기 다른 기도는 그들의 태도에 관해 무엇을 보여 주나요?**
이 질문에 관한 대답은 다양할 것입니다.

▶ **이 이야기에서 개인적으로 어떤 도전을 받았나요?**
이 질문에 관한 대답은 다양할 것입니다.

하나님의 이야기
하나님이 그분의 아들
예수 그리스도를 통해
우리를 구속해 주신 이야기

우리의 이야기
우리의 이야기가
하나님의 이야기와
만나는 곳

YOUR MISSION

생각

바리새인처럼 자기 자신을 신뢰하는 사람은 주변 사람을 얕잡아 보기 마련입니다. 자기 죄를 알지 못하기에 스스로 의롭다고 생각하게 된 것입니다. 이는 하나님의 기준을 사람이 다다를 수 있는 수준으로 끌어내린 결과입니다. 일단 그렇게 생각하기 시작하면, 자신을 하나님께 비추어 보는 대신에 주변 사람을 보게 됩니다. 주변 사람보다 자신이 더 잘하고 있다고 생각하는 한 우월감에서 빠져나올 수 없게 되어 있습니다.

● 다른 사람을 얕잡아 보는 사람이 보이는 특징은 무엇일까요?
  이 질문에 관한 대답은 다양할 것입니다.

● 사람이 그런 덫에 빠지기 쉬운 때는 언제일까요? 그런 생각을 피하려면 어떻게 해야 할까요?
  이 질문에 관한 대답은 다양할 것입니다.

마음

여러 모양으로 가장하며 스스로 알아차리기 어렵게 만들기 때문에 자기 의가 무섭습니다. 우리는 종교적 행위를 통해 하나님과 좋은 관계를 맺을 수 있다고 생각합니다. 자신이 아닌 하나님을 믿고 기도한다고 착각하며 자신이 다른 사람보다 더 잘한다고 여기기 때문입니다. 스스로 의롭게 여기는 일은 마음에서 시작됩니다. 마음을 잘 다스려야만 하는 이유가 여기에 있습니다.

● 만약 스스로 의롭게 여긴다는 비난을 받게 된다면 어떻게 할 것인가요?
  이 질문에 관한 대답은 다양할 것입니다.

● 자기도 모르는 사이에 스스로 의롭게 여기는 일이 어떻게 일어난다고 생각하나요?
  사람은 자신을 의롭다고 여기며 실상을 제대로 파악하지 못하기 쉽습니다. 바리새인처럼 자신이 살아가는 방식이 옳기에 모든 것이 잘되고 있다고 여기다 보면, 자기 마음이 하나님을 향한 사랑으로 충만하기보다는 자만으로 가득함을 깨닫지 못하게 됩니다.

행동

우리를 부르신 하나님은 이 이야기를 통해 다른 사람을 얕잡아 볼 것이 아니라, 구원하시는 하나님을 바라보라고 가르치십니다. 하나님을 향해 도움과 자비를 구하면, 그 겸허함을 다른 사람도 알아보게 됩니다. 겸손과 자비는 기꺼이 용서를 베푸시는 하나님을 소중히 여기는 것일 뿐만 아니라 여전히 자신을 믿는 사람에게도 좋게 보일 것입니다.

● 은혜가 필요함을 아는 사람에게서는 어떤 표시가 날까요?
  은혜가 필요함을 아는 사람이라면 죄를 깨닫게 되고, 하나님과의 관계를 회복해야 할 필요성을 알게 됩니다. 그래서 다른 사람과 비교하고 경쟁하는 게임을 멈추는 등 중요한 표시가 나타나기 마련입니다.

● 이것은 자기 자신을 믿는 사람에게서 나는 표시와 어떻게 다를까요?
  이 질문에 관한 대답은 다양할 것입니다.

> 다음 모임까지
> 예레미야 9~16장을
> 읽어 보세요.

06

내 아들까지
해치려느냐?

요 약

이 과에서 우리는 악한 농부의 비유를 공부할 것입니다. 이 비유는 심판에 관한 예수님의 유명한 비유 가운데 하나입니다. 이를 통해 우리는 하나님께 부름 받은 사람의 특권과 책임을 다해야 함을 배우게 됩니다. 또한 은혜로우신 하나님은 죄인들에게 경고도 하시고, 하나님의 아들을 배척하는 사람들을 응징하기 위해 심판도 하신다는 것을 알려 줍니다. 혹독하게 보이는 이 말씀을 통해 회개와 선교의 열매를 맺어 하나님 백성으로서의 사명을 다하도록 부름 받았음을 깨닫게 됩니다.

성 경

마태복음 21장 33~46절

HIS STORY

포 인 트	하나님의 명령과 경고 그리고 아들을 거부하는 자에게 심판이 임한다.
등 장 인 물	예수님(하나님의 아들, 성자 하나님)
메시지 좌표	이 과에서 악한 농부의 비유를 배우고 나면, 다음에는 예수님이 보여 주신 기적 이야기로 넘어가게 됩니다. 악한 농부의 비유는 우리에게 잘 알려진 심판에 관한 비유입니다. 이 이야기에서 우리는 하나님께 부름 받은 대로 사는 특권과 책임을 배우게 될 것입니다. 또한 은혜로우신 하나님이 죄인들에게 전하시는 경고와, 그분의 아들을 배척하는 사람들을 응징하는 심판에 대해 알게 될 것입니다.

도 입

성경에 관해 얄팍한 지식을 가진 사람들은 신약성경의 예수님과 구약성경의 하나님이 확연히 다르다고 생각하곤 합니다. 예수님은 착하고 은혜롭고 온순하신 분이라고 생각합니다. 구약의 하나님은 대적에게 심판과 보복을 가하고 심지어 하나님의 백성까지도 죄를 지으면 벌하시는 분이기에 예수님과는 다르다고 주장합니다. "심판받지 않으려거든 심판하지 말라"라는 예수님의 명령을 다른 모든 가르침보다 우월하게 생각합니다.

그러나 복음서를 조금만 살펴봐도 예수님이 조용하고 온건하게 서민적 지혜를 실천하신 분만은 아니었음을 금세 알 수 있습니다. 예수님은 성전에서 상을 뒤엎고, 위선적인 종교 지도자들을 맹비난하고, 세상 나라들에 도전하다가 마침내 위험인물로 지목되어 처형당하신 분입니다. 예수님을 착하고 좋은 선생님으로만 보는 것은 예수님을 폄하하여 1차원적인 인물로 만드는 것입니다.

지금까지 예수님의 많은 비유가 은혜를 강조한다는 것을 배웠습니다. 그러나 예수님의 비유들을 더 공정하게 읽으려면, 예수님의 많은 비유가 하나님의 심판을 가리키고 있음을 알아야 합니다. 몇 가지 예를 들어 보겠습니다. 악한 농부의 비유는 가장 강력하고 의도적인 예수님의 비유 가운데 하나입니다. 탕자의 비유나 선한 사마리아인의 비유보다는 덜 유명하지만, 사복음서 가운데 세 복음서가 악한 농부의 비유를 싣고 있습니다. 씨 뿌리는 자의 비유와 더불어 이 이야기는 비유를 공부할 때 꼭 짚고 넘어가야 할 이야기입니다. 예수님은 사역을 시작하실 무렵에 씨 뿌리는 자의 비유를 들려주셨는데, 십자가에 달리고 부활하시기 한 주 전에는 악한 농부의 비유를 들려주셨습니다.

▶ 왜 많은 사람이 예수님을 '선하고 좋은 선생님'으로만 이해하고, 심판에 관한 가르침을 간과할까요?

도입 선택

심판은 막중한 결정을 내리는 일입니다. 재판관들은 이러한 결정을 내리는 사람들이며, 운동 경기에도 이런 일을 하는 사람이 있습니다. 또한 사람들은 "나를 심판대에 세우지 마세요," 또는 "그렇게 심판하듯이 굴지 마세요"라는 말을 쓰곤 합니다. 이런 말들이 너무 흔하기 때문에 그 뜻이 불명확하고, 하나님의 심판이 무엇이며 어떠할지 알기 어렵게 만듭니다.

• '하나님의 심판'이라는 말을 들을 때 떠오르는 것은 무엇인가요?

하나님의 심판은 완전하고 정의롭고 공평합니다. 그리고 하나님의 영광과 선을 드러냅니다. 이 과에서 하나님의 심판은 오늘날 사람들이 생각하는 심판 개념이 아니며, 하나님과 하나님의 계명과 경고와 하나님의 아들을 거부한 사람들에 대한 무거운 징벌임을 배울 것입니다. 예수님을 통해서만 하나님의 심판과 분노를 피할 수 있습니다.

귀찮게 좀 하지 마세요!

예수님의 마지막 비유 가운데 하나인 악한 농부의 비유가 어떻게 시작하는지 살펴보겠습니다.

연 대 표

악한 종
THE WICKED TENANTS
예수님이 하나님의 심판과 회개의 필요성을 알려 주시다.

물이 변하여 된 포도주
WATER INTO WINE
날마다 필요한 것이 채워져야 하는 우리를 예수님이 긍휼히 여기시다.

하늘에서 내린 떡
BREAD FROM HEAVEN
예수님은 우리에게 육체적으로 필요한 것과 영적으로 필요한 것을 모두 공급하시다.

물 위를 걸으심
WALKING ON WATER
창조물을 지배하는 권리가 있음을 예수님이 입증하시다.

중풍 병자
THE PARALYTIC
치유하고 죄를 용서하는 모든 권세를 예수님이 가지시다.

귀신 들린 사람
THE DEMONIAC
예수님께 영적 세력을 제압하는 권세가 있음을 보여 주시다.

[33]다른 한 비유를 들으라 한 집주인이 포도원을 만들어 산울타리로 두르고 거기에 즙 짜는 틀을 만들고 망대를 짓고 농부들에게 세로 주고 타국에 갔더니 [34]열매 거둘 때가 가까우매 그 열매를 받으려고 자기 종들을 농부들에게 보내니 [35]농부들이 종들을 잡아 하나는 심히 때리고 하나는 죽이고 하나는 돌로 쳤거늘 (마 21:33~35)

당시 청중은 '포도원'이라고 하면 이사야 5장의 이야기를 떠올렸을 것입니다. 이는 하나님과 그의 백성에 관한 비유입니다. 예수님은 그 포도원 이야기를 가져와 하나님(주인)이 이스라엘(포도원)을 잘 보살피라고 종교 지도자들(농부들)을 부르셨지만, 그들이 실패했음을 분명히 하셨습니다. 이스라엘 백성은 하나님께 선택되었다는 엄청난 특권을 지녔습니다. 그러나 그들은 그 축복에 합당한 책임을 다하며 살아내는 데는 실패했습니다. 하나님은 자기 백성에게서, 특별히 종교 지도자들에게서 열매를 찾으셨으나 얻지 못하셨습니다.

포도원 농부들은 열매가 없는 것을 사과하기는커녕 주인을 끔찍하게 대했습니다. 그들은 주인이 종들을 보내자 간섭한다고 분개했습니다. 농부들의 문제는 아무 열매도 맺지 못한 데 있는 것이 아니라, 나쁜 열매를 맺었다는 데 있습니다. 실패를 회개하고 그에 합당한 선한 열매를 맺어야 하건만, 농부들은 반역이라는 나쁜 열매를 맺고 말았습니다.

이 비유는 당시 종교 지도자들에 대한 도전이라고 할 수 있습니다. 그렇다면 우리는 어떤가요? 사도 바울은 예수님을 믿는 자들은 이스라엘에 접붙임을 받은 것이라고 주장했습니다. 그렇게 하나님의 백성이 된 우리는 하나님의 포도원에서 하나님의 백성에게 주어진 특권을 누리게 됩니다. 동시에 하나님이 부르신 자에게 주시는 사명을 따라 막중한 책임을 다하며 살아가야 합니다. 하나님의 청지기임을 알 때, 비로소 부름 받는다는 것이 무슨 뜻임을 알게 될 것입니다.

하나님의 백성이 되는 특권에는 어떤 책임이 따를까요? 그리스도인은 어떤 열매를 맺어야 하나요?

아들마저 죽이면 우리 세상!

앞서 언급했듯이, 악한 농부의 비유는 심판에 관한 것입니다. 그러나 심판이 닥치기까지는 오랜 시간이 걸립니다. 이야기가 펼쳐지면, 우리는 포도원 주인이 엄청나게 인내하고 절제하는 것을 보게 됩니다. 주인은 종들을 보내고 또 보내며 마땅히 얻어야 할 것을 요구했습니다. 본문을 살펴보십시오.

> ³⁶다시 다른 종들을 처음보다 많이 보내니 그들에게도 그렇게 하였는지라 ³⁷후에 자기 아들을 보내며 이르되 그들이 내 아들은 존대하리라 하였더니 ³⁸농부들이 그 아들을 보고 서로 말하되 이는 상속자니 자 죽이고 그의 유산을 차지하자 하고 ³⁹이에 잡아 포도원 밖에 내쫓아 죽였느니라 ⁴⁰그러면 포도원 주인이 올 때에 그 농부들을 어떻게 하겠느냐 ⁴¹그들이 말하되 그 악한 자들을 진멸하고 포도원은 제때에 열매를 바칠 만한 다른 농부들에게 세로 줄지니이다(마 21:36~41)

이 이야기의 핵심은 하나님의 심판이지만, 포도원 주인의 깊은 인내심도 간과해서는 안 됩니다. 그는 자기 종들을 계속해서 보냈지만, 농부들은 그때마다 무시했습니다.

예수님 시대에 사람들은 구약의 선지자들을 종들로 표현하기도 했습니다. 선지자들은 하나님의 말씀을 전했습니다. "이처럼 주께서 말씀하십니다!" "이것은 주님의 명령입니다!" 선지자들은 하나님을 대신하여 하나님의 백성에게 사명을 일깨우고, 이스라엘 지도자들에게 순종할 것을 권고했습니다. 선지자들은 백성에게 죄에 대한 책임을 지우고, 하나님을 향해 회개할 것을 촉구했습니다.

악한 농부들이 포도원 주인의 사자로 온 종들을 대한 모습 그대로, 이스라엘의 종교 지도자와 정치 지도자도 하나님의 사자인 선지자를 홀대했습니다. 하나님의 선지자 가운데 한 명이라도 홀대당한다면, 하나님이 곧바로 백성들에게 벌을 내리실 것 같지 않나요? 그런데 하나님은 백성들의 죄가 가져올 결과를 거듭 들려주며 경고만 하셨습니다. 하나님은 선지자가 심하게 홀대당해도 그들을 보내고, 보내고, 또 보내셨습니다.

이것은 전혀 논리적이지 않습니다. 종들을 계속 보내도 홀대만 당하고 얻어맞고 살해당하는데, 대체 포도원 주인은 얼마나 더 많은 종을 보낸 다음에야 농부들을 무섭게 징벌할 필요를 느낄까요? 하나님은 자기 백성에게 경고하기 위해서 얼마나 더 많은 선지자를 보내신 다음에야 결정적인 행동을 취하실까요? 여기서 중요한 것은 이유나 논리가 아닌 하나님의 은혜와 인내입니다. 하나님을 움직이는 것은 논리가 아닌 사랑입니다.

이야기는 포도원 주인이 자기 아들을 보내는 것으로 이어졌습니다. 예수님의 비유를 배우고 있는 우리에게 결과는 불 보듯 뻔합니다. 하나님의 백성이 사랑의 경고를 거부했듯이, 악한 농부들도 포도원 주인이 사랑으로 보낸 아들을 거부했습니다. 악한 농부들은 주인의 아들을 보고 그의 유산을 탐냈습니다. 그들은 마땅히 정중하게 맞이하는 대신에 포도원 주인의 아들을 포도원 밖에 내쫓아 죽였습니다. 예수님이 이 비유를 말씀하신 그때에 종교 지도자들은 예수님을 예루살렘 밖으로 내쫓아 마을 어귀에서 십자가에 매달 공모를 했을 것입니다.

그 끝에는 심판이 있다

예수님은 시편을 인용하면서 심판의 비유를 마무리하셨습니다. 그 내용은 열매 맺지 못하는 백성들에게 내려질 강력한 심판이었습니다. 종교 지도자들은 이 비유가 자기들을 겨냥한 것임을 알아차렸습니다.

42예수께서 이르시되 너희가 성경에 건축자들이 버린 돌이 모퉁이의 머릿돌이 되었나니 이것은 주로 말미암아 된 것이요 우리 눈에 기이하도다 함을 읽어 본 일이 없느냐 43그러므로 내가 너희에게 이르노니 하나님의 나라를 너희는 빼앗기고 그 나라의 열매 맺는 백성이 받으리라 44이 돌 위에 떨어지는 자는 깨지겠고 이 돌이 사람 위에 떨어지면 그를 가루로 만들어 흩으리라 하시니 45대제사장들과 바리새인들이 예수의 비유를 듣고 자기들을 가리켜 말씀하심인 줄 알고 46잡고자 하나 무리를 무서워하니 이는 그들이 예수를 선지자로 앎이었더라(마 21:42~46)

알짬 교리 **99**

지옥

죽음의 순간에 그리스도 안에 있지 않은 사람들에 관해서, 성경은 하나님의 진노가 그들 위에 있으며(요 3:36), 그들은 이 땅에서 행한 대로 심판을 받게 될 것이라고 합니다(히 9:27). 불신자들을 기다리는 지옥의 형벌은 결코 끝나지 않을 영원한 고통이며, 무한하신 하나님을 대적하여 저지른 죄의 결과입니다(마 25:41, 46). 지옥에서 죄인들은 하나님과 영원히 분리됩니다.

이 비유에서 우리는 두 가지 해석의 오류를 범할 수 있습니다. 첫째, 포도원 주인은 자기 아들을 악한 농부들에게 보낼 때 어떤 일이 일어날지 알지 못하는 것처럼 보입니다. 포도원 주인을 하나님으로 보면, 하나님이 뒷짐을 지고 계셨거나 혹은 그 선지자들과 아들이 당한 일을 보고 깜짝 놀라셨을 것으로 생각하기 쉽습니다. 즉 하나님이 아들의 죽음을 예측하지 못하셨다고 오해하는 것입니다. 그러나 하나님은 자기 아들이 죽게 될 것을 아셨고, 알고 계셨기에 아들을 "세상 죄를 지고 가는 하나님의 어린양"(요 1:29)으로 보내셨습니다.

둘째, 포도원을 빼앗아 다른 사람들에게 넘긴다는 예수님의 말씀을 이스라엘을 완전히 버리신다는 뜻으로 생각하기 쉽습니다. 그러나 맥락이 뜻하는 내용은 하나님이 이스라엘을 버리셨다는 것이 아니라, 이스라엘을 하나님의 아들 메시아를 통해 다시 세우시겠다는 것입니다. 예수님은 하나님의 새 백성을 위한 모퉁잇돌이십니다.

크렉 블롬버그(Craig Blomberg)는 이 비유에서 우리가 지금까지 배운 주요 진리에 대한 요약이라고 할 수 있는 다음과 같은 말을 했습니다. "하나님은 그 백성이 반복적이며 노골적으로 하나님을 거역할지라도 그들이 하나님이 원하시는 열매를 맺을 때까지 기다리고 인내하며 오래 참으십니다. 하나님의 인내가 다하고 그를 버린 사람들이 멸망하게 될 날이 다가옵니다. 그럼에도 하나님은 뜻을 굽히시는 일 없이 처음 농부들이 열매를 맺지 못하면 새로운 지도자를 세워 열매 맺게 하실 것입니다."

그리스도와의 연결

students

은혜에 관해서만 말씀하시고 심판에 관해서는 한마디도 안 하시는 온화한 예수님의 모습은 상상 속의 허구일 뿐입니다. 우리가 섬기는 구세주는 추문이 날 정도로 은혜를 베풀기도 하셨지만, 맹렬한 소리로 심판을 선포하기도 하셨습니다. 이 이야기에서 우리는 하나님이 인내하실 뿐만 아니라 신속하게 벌하시는 모습을 보게 됩니다. 그러므로 우리는 경각심을 일깨우며, 하나님의 축복을 받은 청지기로 살아가야 할 것입니다.

우리 자신을 이야기에 대입해 보면, 우리는 악한 농부에 가까울지도 모릅니다. 우리는 하나님을 거부하고 하나님의 경고들을 무시한 사람들입니다. 우리는 하나님의 독생자를 공격한 사람들입니다. 이제 이런 질문을 해 볼 수 있습니다. '하나님이 맹렬히 심판하실 때, 우리는 어디쯤에서 발견될 것인가?' 심판에서 구원받을 수 있는 유일한 방법은 성자 하나님을 영접하고, 겸손히 그분을 믿는 것입니다. 그러면 심판 때 예수님은 우리를 깨부수는 모퉁잇돌이 아닌, 예수님 안에서 새 삶을 찾은 우리의 모퉁잇돌이 되어 주실 것입니다. 악한 농부 이야기는 심판에 관한 비유이지만, 이 비유의 목적은 우리로 하여금 회개하고 하나님의 아들을 믿게 하려는 데 있습니다.

> 완고한 대제사장과 바리새인은 불신앙과 사악함 때문에
> 하나님의 아들을 제대로 이해할 수 없었습니다.
> 그러나 예수님이 직설적으로 말씀하시자 부인할 수 없었고
> 주님의 모든 심판이 자신들을 향하고 있음을 알아차렸습니다.
> 히에로니무스 Jerome

YOUR STORY

하나님이 들려주시는 이야기는 오늘을 사는 나와 늘 연결되어 있습니다. 아래 질문에 답하면서 성경 이야기가 내 이야기와 어떻게 연결되는지 생각해 봅시다.

▶ 우리는 심판에 관한 경고를 나쁘게 생각하는 경향이 있습니다. 하나님의 경고가 어떻게 해서 우리에게 은혜의 표시가 될 수 있을까요?
  이 질문에 관한 대답은 다양할 것입니다.

▶ 악한 농부들을 심판하지 않기로 결정한 포도원 주인을 어떻게 묘사할 수 있을까요?
  이 질문에 관한 대답은 다양할 것입니다.

▶ 이 경우에 왜 벌을 받는 것이 적절할까요? 이것은 우리가 하나님의 심판을 바라보는 방식에 어떤 영향을 주었나요?
  이 질문에 관한 대답은 다양할 것입니다.

▶ 우리의 유일한 희망은 하나님의 아들인 예수 그리스도를 아는 것임을 종교인과 비종교인에게 설명하기 위해, 이 비유를 어떻게 활용할 수 있을까요?
  이 질문에 관한 대답은 다양할 것입니다.

하나님의 이야기
하나님이 그분의 아들
예수 그리스도를 통해
우리를 구속해 주신 이야기

우리의 이야기
우리의 이야기가
하나님의 이야기와
만나는 곳

YOUR MISSION

생각

이 비유에서 예수님과 선지자들을 거부한 사건이 얼마나 종교적인가에 주목하십시오. 때때로 우리는 사람들을 종교인과 비종교인으로 나누고, 전자를 좋게 후자를 나쁘게 생각하는 경향이 있습니다. 그러나 이 경우에 하나님으로부터 가장 큰 저주를 받은 사람들은 종교 지도자들과 열매 맺지 못한 사람들이었습니다.

● 열매 맺지 못하는 것을 감추기 위해 우리는 어떤 식으로 종교적인 헌신을 하나요?
  이 질문에 관한 대답은 다양할 것입니다.

● 이 이야기가 던지는 경고의 어떤 면이 오늘날 우리에게도 해당할까요?
  이 질문에 관한 대답은 다양할 것입니다.

마음

만일 자기 마음과 삶을 제대로 살피지 못한다면, 이 비유를 제대로 적용할 수 없을 것입니다. 자신의 종교적 헌신이나 신실함을 의지해서는 하나님의 진노를 피할 수 없습니다. 우리를 그분의 백성으로 삼으시는 신앙의 모퉁잇돌 되시는 예수님만을 의지해야 합니다. 예수님 시대나 지금이나 하나님의 백성에 속하게 되면, 특권과 함께 책임도 다해야 합니다.

● 사람들이 자신은 '종교적'이며 '영적'이므로 하나님의 심판을 받지 않을 것이라고 생각하는 까닭은 무엇일까요?
  이 질문에 관한 대답은 다양할 것입니다.

● 이 비유에 따르면, 진정한 종교란 어떤 것일까요?
  진정한 종교인은 자기 죄를 알아차리고, 하나님의 은혜와 자비를 구하는 세리 같은 사람입니다.

행동

이 이야기에서 우리는 어느 편에 가까운가요? 이 비유는 하나님의 아들을 거부한 모든 사람에게 던지는 경고라고 할 수 있습니다. 예수님을 거절하는 순간, 하나님의 심판을 부르는 것입니다. 다른 한편으로, 이 비유는 스스로 하나님의 백성이라고 생각하면서도 하나님의 경고를 계속해서 무시하는 사람에게 주는 경고이기도 합니다. 진정으로 하나님께 속한 사람은 하나님께 순종하고, 하나님의 경고에 귀 기울이고, 하나님의 아들을 영접함으로써 자신을 나타냅니다. 하나님의 경고에 주의하지 않으면, 선지자들과 맞서고 예수님과도 맞서게 됩니다.

● 그리스도를 전하려고 노력하는 사람에게 이 비유는 어떤 도전을 줄까요?
  이 질문에 관한 대답은 다양할 것입니다.

● 어떻게 하면, 하나님의 사랑을 전하고 보여 주어야 할 사명에 대한 참된 '열매'를 맺을 수 있을까요?
  이 질문에 관한 대답은 다양할 것입니다.

다음 모임까지
예레미야 17~24장을
읽어 보세요.

07

붉은 잔에 담긴 사인

요약

요한은 예수님이 물로 포도주를 만드신 이야기를 오락거리로 쓰지 않았습니다. 요한은 성령의 영감을 받아 하나님 아버지를 계시하시는 예수님의 기적에 담긴 진리를 기록했습니다. 이 기적을 통해 우리는 우리의 필요를 아시는 예수님과 예수님의 정체성을 엿보고, 오로지 하나님을 드러내기 위해 행동하시는 능력의 예수님을 발견합니다.

성경

요한복음 2장 1~12절

HIS STORY

포 인 트	예수님이 베푸신 기적은 그분의 신적 권위와 능력을 드러낸다.
등 장 인 물	예수님(하나님의 아들, 성자 하나님)
메시지 좌표	이 과부터는 예수님이 행하신 기적에 관해 자세히 살펴볼 것입니다. 첫 번째 기적은 물로 포도주를 만드신 사건입니다. 이야기가 펼쳐짐에 따라, 예수님의 본모습과 긍휼을 알게 될 것입니다. 이 사건은 예수님이 초기 사역 기간에 하나님을 계시하신 여러 방법 가운데 하나입니다. 이러한 기적은 예수님의 권위와 능력의 일면만 드러내지만, 우리 가운데 계시며 역사하시는 하나님이신 예수님의 권위와 능력을 보여 줍니다.

＊기적 : 헬라어 '세메이온'($\sigma\eta\mu\epsilon\bar{\iota}o\nu$, semeion)을 우리말 성경은 대부분 '표적'으로 번역하였고, 일부에서는 '이적'(막 13:22; 눅 23:8; 계 12:1) 또는 '징조'(마 24:3, 30; 눅 21:7; 행 2:19)로 번역했다. '기적'은 하나님이 행하시는 놀라운 일들을 말하며 동의어로는 '표적'이 있다.

가스펠 프로젝트

도 입

무엇이 무엇으로 만들어지는지를 알고 이해하는 것은 유익합니다. 아마 어떤 물건을 본래 용도가 아닌 다른 용도로 사용한 적이 있을 것입니다. 어떤 사람은 매니큐어를 벌레 물린 곳에 바르고, 삐져나온 머리카락을 손톱깎이로 자르거나, 고무줄로 떨어진 단추를 수리합니다(이 모두를 다 하는 사람도 있습니다). 이처럼 물건을 본래 용도에서 벗어나 임시방편으로 사용할 수 있으나, 그렇다고 해서 그 물건의 본래 목적이 바뀌지는 않습니다.

▸ 어떤 물건을 본래 용도와 다른 용도로 사용한 적이 있나요? 결과는 어떠했나요?

▸ 인간의 존재 목적은 무엇일까요? 그리스도를 믿는 신자들이 존재하는 목적은 무엇일 까요?

우리는 자주 본래 목적을 혼동합니다. 사람들은 "대체 왜 우리가 여기에 있지?" 또는 "내가 왜 여기 있지?" 하고 수시로 묻곤 합니다. 우리는 그런 질문과 씨름하지만, 예수님은 그러지 않으셨습니다. 예수님은 목적을 아셨습니다. 예수님의 첫 번째 기적을 살펴보면, 기적을 행하신 목적이 관심을 끌기 위함이나(때로는 관심을 끄셨지만), 인생을 더 쉽게 살기 위함이나(쉽게 사실 수도 있었지만), 제자들을 감동시키기 위함이(제자들이 감동한 것은 사실이지만) 아니었음을 알게 됩니다. 모든 기적의 목적은 하나님 아버지를 영광스럽게 하는 것입니다. 구체적으로 표현하자면, 기적의 목적은 하나님의 아들이요 세상의 구세주이신 예수님의 정체성을 계시하는 것입니다.

누구에게 청해야 할지 나는 알지

요한복음 1장에서 세례 요한은 예수님에 대해 '하나님의 어린양'이라고 선언했고, 안드레는 '메시아'라고 전했습니다(요 1:40~41). 나다나엘은 자신이 어떤 사람이고 어디에 있었는지를 알고 계셨음을 드러내신 예수님에 대해 '하나님의 아들이요 이스라엘의 임금'이라고 고백했습니다(요 1:49). 이들은 예수님을 제대로 알아봤고, 예수님의 본질을 다른 사람에게 전했으며, 돌이켜 예수님을 따르기 시작했습니다.

요한복음 1장에서 많은 사람이 예수님을 다양한 호칭으로 부르지만, 그

도입 선택

성경 공부 모임을 시작하면서 잠시 학생들에게, 가장 좋아하는 영웅이 누구이며 왜 좋아하는지를 질문하십시오. 초인적 능력과 특징을 가진 영웅에 관해 토론할 시간을 주십시오. 교사가 먼저 자신의 영웅이 누구인지, 왜 그가 당신의 영웅인지, 그 영웅이 가진 초인적 능력이 무엇인지를 알려 주십시오. 그리고 나서 다음 질문을 하십시오.

• *이러한 영웅의 공통점은 무엇인가요? 왜 사람들은 영웅을 좋아할까요?*

사람들은 특별한 능력을 가진 영웅을 좋아합니다. 그들은 초인적인 힘이나 엑스레이처럼 꿰뚫어 보는 시력이나 마음으로 사물을 움직이게 하는 능력 등을 가지고 있습니다. 그러나 텔레비전조차도 모든 영웅에게는 결함이 있는 것을 드러냅니다. 우리가 아무리 좋아해도 그런 영웅들은 진짜가 아닙니다.
예수님은 영웅 이상의 분이십니다. 예수님은 완전하고 흠이 없으십니다. 모든 것을 아십니다. 전능하여 모든 것을 하실 수 있습니다. 예수님은 결코 물러서지 않고 죽음까지도 물리치셨습니다. 예수님이 보이신 표적은 하나님의 아들만이 가진 능력과 권세를 증명했습니다.

증거들이 구체화되는 것은 2장입니다.

연 대 표

물이 변하여 된 포도주
WATER INTO WINE
날마다 필요한 것이 채워져야 하는 우리를 예수님이 긍휼히 여기시다.

하늘에서 내린 떡
BREAD FROM HEAVEN
예수님은 우리에게 육체적으로 필요한 것과 영적으로 필요한 것을 모두 공급하시다.

물 위를 걸으심
WALKING ON WATER
창조물을 지배하는 권리가 있음을 예수님이 입증하시다.

중풍 병자
THE PARALYTIC
치유하고 죄를 용서하는 모든 권세를 예수님이 가지시다.

귀신 들린 사람
THE DEMONIAC
예수님께 영적 세력을 제압하는 권세가 있음을 보여 주시다.

아픔과 죽음을 이기는 권세
POWER OVER SICKNESS AND DEATH
예수님께 아픔과 죽음에 대한 권세가 있음을 보여 주시다.

¹사흘째 되던 날 갈릴리 가나에 혼례가 있어 예수의 어머니도 거기 계시고 ²예수와 그 제자들도 혼례에 청함을 받았더니 ³포도주가 떨어진지라 예수의 어머니가 예수에게 이르되 저들에게 포도주가 없다 하니 ⁴예수께서 이르시되 여자여 나와 무슨 상관이 있나이까 내 때가 아직 이르지 아니하였나이다 ⁵그의 어머니가 하인들에게 이르되 너희에게 무슨 말씀을 하시든지 그대로 하라 하니라(요 2:1~5)

예수님이 제자들과 함께 혼인 잔치에 초대받으셨습니다. 정황상 마리아는 단순한 하객이 아니었음이 분명합니다. 그 가족이 신뢰하는 사람이나 가까운 친척이나 친구로서 잔치를 거드는 일을 했을 것입니다. 단순한 하객이라면 포도주가 떨어졌다는 사실을 알 수 없었을 것이기 때문입니다.

포도가 많은 팔레스타인에는 포도주도 흔했습니다. 포도주는 음료였을 뿐만 아니라 약품이나 방부제로도 쓰였습니다. 성경은 술 취하는 것을 비난하지만, 포도주는 유대인들이 목을 축이는 음료로 혼인 잔치 때도 제공되었습니다. 포도주가 떨어졌다는 것은 잔치 준비가 부실했거나, 예상보다 많은 하객이 왔다는 뜻입니다.

포도주가 부족하자 마리아가 예수님께 담담히 말했습니다. 이때 마리아는 무엇을 기대했을까요? 확실히 알 수는 없습니다. 그러나 예수님의 대답은 그녀가 예수님의 초자연적 능력을 이미 알고 있었음을 암시합니다.

마리아는 예수님께 무엇이 부족한지 말하고 처분을 맡겼습니다. 마리아는 아들에게 포도주를 좀 더 사 오라고 돈을 주지 않았고, 가능한 해법을 제시하지도 않았습니다. 그저 마음속의 염려를 말하고, 주변에 있던 하인들에게 예수님이 무엇을 말씀하시든지 그대로 하라고 지시했을 뿐입니다.

이보다 더 좋을 순 없어

students

　이후에 사역 현장에서 예수님은 이런 말씀을 하셨습니다. "이와 같이 좋은 나무마다 아름다운 열매를 맺고 못된 나무가 나쁜 열매를 맺나니 좋은 나무가 나쁜 열매를 맺을 수 없고 못된 나무가 아름다운 열매를 맺을 수 없느니라"(마 7:17~18). 이 말씀을 통해 사람은 그가 맺는 열매로 자신이 어떤 사람인지를 드러낸다는 것을 알 수 있습니다.

　이 말씀처럼 예수님은 그분이 베푸신 표적과 선포하신 말씀으로 자신이 누구이신지를 드러내셨습니다. 베드로도 하나님이 큰 권능과 기사와 표적을 백성 가운데 베풀게 하심으로써 예수님이 하나님의 아들임을 증언하셨다고 했습니다(행 2:22). 하나님은 예수님으로 하여금 물로 포도주를 만드는 친절을 베푸시는 것으로 표적을 시작하게 하셨습니다.

students

　⁶거기에 유대인의 정결 예식을 따라 두세 통 드는 돌항아리 여섯이 놓였는지라 ⁷예수께서 그들에게 이르시되 항아리에 물을 채우라 하신즉 아귀까지 채우니 ⁸이제는 떠서 연회장에게 갖다주라 하시매 갖다주었더니 ⁹연회장은 물로 된 포도주를 맛보고도 어디서 났는지 알지 못하되 물 떠온 하인들은 알더라 연회장이 신랑을 불러 ¹⁰말하되 사람마다 먼저 좋은 포도주를 내고 취한 후에 낮은 것을 내거늘 그대는 지금까지 좋은 포도주를 두었도다 하니라(요 2:6~10)

　커다란 항아리들은 예수님이 쓰시기까지 사용되지 않은 채 비어 있었습니다. 예수님은 주문을 외우지도 항아리들을 만지지도 않으셨습니다. 그냥 항아리들을 물로 채우라고 하신 다음에 채운 물을 떠서 연회장에게 곧장 가져다주라고 지시하셨습니다. 물을 채우고 맛보도록 전달하는 사이에 물이 포도주로 변해 있었습니다. 그냥 포도주가 아니라 '좋은 포도주'였다고 연회장이 말했습니다. 연회장은 직업상 좋은 포도주와 나쁜 포도주를 분별할 수 있었을 텐데, 그 포도주를 맛본 후 신랑에게 품질이 좋다고 말할 정도였습니다.

　그러나 본문의 초점은 예수님이 좋은 포도주를 만드신 데 있지 않습니다. 결국 우리는 모든 것이 예수님으로 말미암아, 예수님을 통하여, 예수님을 향하여 창조되었으며(골 1:16), 모든 피조물이 아버지가 보시기에 '좋다'(창 1장)는 것을 압니다. 포도주를 만드신 기적보다는 그것을 누가 보았는지에 주목해 보십시오. 기적을 본 사람은 신랑도 연회장도 아니었습니다(그들은 사건의 전모를 의아해하고 있을 뿐이었습니다). 기적을 본 사람은 바로 하인들이었습니다.

주님이 하나님의 아들로서 자기 정체성을 처음으로 계시하신 대상이 하인들이었다는 것은 참으로 적절했습니다. 이런 사상은 마가복음 10장 45절에서 예수님이 하신 말씀에도 묻어납니다. 예수님은 자신이 누구인지를 알게 될 자를 스스로 결정하셨습니다. 오로지 예수님과 아버지 하나님만이 예수님에 대해 정확히 아셨고, 예수님이 자신에 대해 누구에게 알릴 것인지를 선택하셨습니다(눅 10:22). 예수님이 지상 사역 중 첫 기적을 행하셨을 때, 오로지 하인들과 제자들만이 그 기적을 봤습니다.

내가 분명히 봤어!

그것은 물로 포도주를 만든 것 이상의 의미가 있었습니다. 마술사와 마법사를 본 적이 있을 것입니다. 사람을 톱질해 반으로 나누거나 잘린 밧줄이 기적적으로 다시 이어지는 것을 보았을 것입니다. 그 속임수의 전 과정을 일일이 눈으로 확인하지 않더라도 그들이 교묘하게 속임수를 쓴다는 사실을 압니다.

그러나 예수님은 그렇지 않으셨습니다. 예수님의 표적에는 교묘한 손놀림도 특별한 조명 효과도 없었습니다. 포도주 맛이 나는 어떤 것을 실수로 항아리에 쏟은 것도 아니었습니다. 혼인 잔치에 포도주가 부족했습니다. 예수님은 물을 항아리에 담으라고 명령하셨습니다. 물이 변하여 질 좋은 포도주가 되었습니다. 이는 놀라운 일이었습니다. 이로써 예수님의 영광이 드러났습니다.

> [11]예수께서 이 첫 표적을 갈릴리 가나에서 행하여 그의 영광을 나타내시매 제자들이 그를 믿으니라 [12]그 후에 예수께서 그 어머니와 형제들과 제자들과 함께 가버나움으로 내려가셨으나 거기에 여러 날 계시지는 아니하시니라(요 2:11~12)

이 사건 역시, 하나님의 기적을 통한 다른 계시들처럼 거룩하게 구별되었고 영광으로 가득했습니다. 성경은 포도주의 양과 품질을 기록하는 일을 놓치지 않았습니다. 요한은 연회장이 378리터 이상의 양을 최고 품질의 포도주로 품평한 사실을 확실히 알려 주었습니다(요 2:6, 10). 하나님의 온전하신

> 영광과 거룩함이 완벽한 포도주를 통해 계시된 것입니다.

포도주는 완벽했습니다. 그런데 그 비밀이 새어나가지 않은 사실이 흥미롭습니다. 연회장은 신랑에게 포도주의 품질을 칭찬하면서도 그것이 어디서 왔는지를 알려고 하지 않았습니다. 신랑 또한 그런 기적에 관해서는 아는 바가 없었을 것입니다. 오로시 하인들과 제자들만이 이야기의 전모를 파악할 수 있는 특권을 누렸습니다. 예수님은 자기 '때'(십자가를 져야 하는 사명의 때)가 아직 차지 않았음에도 불구하고, 사랑하는 사람의 필요를 채워 주셨습니다. 어떤 권력이나 영향력도 이보다 대단하지 못했을 것입니다. 하인들과 제자들은 기적에 놀랐지만, 지붕 위에 올라가서 선포하지는 않았습니다.

students

예수님의 표적을 체험한 사람이 예수님이 누구이신지를 알고 믿게 되는 이야기는 이것만이 아닙니다. 예수님은 사람들의 필요를 채워 주셨고, 병을 고쳐 주기도 하셨습니다. 사람들을 어루만져 주셨고, 사랑하며 돌보셨으며, 도우셨습니다. 그런데 이 모든 표적이 오로지 한 가지 목적을 향해 있습니다. 그것은 하나님 아버지께 영광을 돌리는 것입니다. 예수님이 누구이신지를 알지 못했고 사람들이 왜 예수님을 따르는지도 알지 못했으나 하인들은 기적을 체험할 수 있었습니다. 제자들은 예수님을 알고 예수님을 따르기로 결심했던 사람들로서 그 기적을 통하여 예수님이야말로 약속대로 오신 분임을 더욱 확신하게 되었습니다.

내가 혼인 잔치를 섬기던 하인 중의 한 명이라면 예수님의 명령에 어떻게 반응했을까요? 그 표적에는 어떻게 반응했을까요?

이번에는 자신이 제자들 중의 한 명이라고 상상해 보십시오. 이 사건이 예수님을 따르기로 한 결심을 더욱 확고하게 하고 믿음을 더해 줄까요?

알짬 교리 **99**

기적

기적이란 하나님이 영광을 드러내거나 말씀을 확증해 주시기 위해서 만물의 자연 질서에 예외를 허락하거나 자연법칙을 바꾸시는 사건을 말합니다. 성경 전반에 걸쳐 기적들이 기록되어 있습니다. 선지자나 사도가 하나님의 말씀을 백성에게 전할 때, 종종 표적과 기사가 나타났습니다. 하나님은 전능하시며 세상일에 친히 관여하신다고 믿기에, 우리는 하나님이 표적을 행하실 수 있으며 또한 행하신다고 믿습니다.

성경 전체에 하나님의 영광이 여러 방식으로 독특하게 표현되어 있습니다. 모세는 불타는 떨기나무에서 하나님의 영광을 보았는데, 노련한 목자라서 그것이 단순히 나무에 붙은 불이 아님을 알아차렸습니다(출 3장). 주님의 영광이 시내산에 구름처럼 임했을 때, 그것을 일상적인 뭉게구름으로 오해한 사람은 없었습니다. 이스라엘 자손의 눈에는 맹렬한 불같이 보였기 때문입니다(출 24:16~17). 벨사살은 손가락들이 나타나서 벽에 글자를 쓰는 것을 보고, 즐기던 얼굴빛이 변하고 두려움에 사로잡혔습니다. 그 손가락이 무엇인지, 그것이 쓴 글의 의미가 무엇인지를 전혀 알 수가 없었기 때문입니다(단 5:5~9). 하나님이 예수님의 탄생을 미천한 목자들에게 선포하실 때, 천사의 무리로 하여금 그 자리를 빛내게 하셨습니다(눅 2:8~14).

우리는 하나님의 영광이 거룩하심과 연관이 있음을 기억해야 합니다. 하나님은 거룩하셔서 우리 이해를 초월해 존재하십니다. 그리고 하나님께 속한 모든 사물과 사람에게 거룩하기를 요청하십니다. 우리는 자기 힘으로 그 거룩함에 이를 수 없지만, 주님이 거룩하신 것같이 우리도 거룩하도록 부름 받았습니다(벧전 1:15~16). 거룩하게 구별된 빛이 하나님의 영광을 위해 온 인류에게 비칩니다(마 5:16).

그리스도와의 연결

어떤 사람은 이 본문을 읽으면서 마태복음 8장 5~13절에 등장하는 로마 군대의 백부장을 떠올릴 것입니다. 그는 부하가 상관의 명령을 그대로 따른

다고 했습니다. 예수님에게는 즉각적인 상황 해결 능력뿐 아니라 모든 피조물을 다스리는 능력이 있음을 마리아는 알았습니다(골 1:16).

포도주가 부족하다는 사실이 예수님의 정체성, 능력, 사명에 영향을 끼치지 않았지만 그분은 그들에게 필요한 것이 있음을 보셨습니다. 그분이 사랑하시는 이가 청했기 때문입니다. 하나님의 아들이 그곳에서 사랑하는 사람의 필요를 채워 주셨다는 사실 외에 혼인 잔치 자체는 특별한 의미를 담고 있지 않습니다. 그러나 예수님의 영광을 드러낸 일은 주목받지 않을 수 없습니다.

마리아처럼 우리도 해결할 수 없는 문제들로 어려움에 처할 때가 있습니다. 그때 마리아가 그랬던 것처럼 예수님께 나아가 필요한 것을 말씀드리곤 하나요? 아니면 예수님께 문제를 어떻게 풀어야 할지 말씀드리고 나서 그대로 해 주지 않으신다고 섭섭하게 생각하나요? 담대하게 하나님 앞에 나아가 필요한 것을 말씀드리세요. 확신을 가지고 하나님의 보좌로 나아가는 것은 우리가 그럴 만한 사람이거나 착한 행실을 했기 때문이 아니라 하나님이 긍휼을 베푸시며 은혜로우시며 우리를 돕기에 능한 분이시기 때문입니다.

우리는 이렇게 말할 수 있을 것입니다. "그래서 이 이야기가 나와 무슨 상관이 있죠? 예수님은 세상에 계시지 않으니 기적을 볼 수 없잖아요!" 맞습니다. 하지만 당신이야말로 하나님을 가리켜 보이는 예수님의 기적입니다. "내가요? 난 은혜로 구원받은 죄인일 뿐인 걸요!" 이 말도 맞습니다. 하지만 '예수님이 어떻게 나에게 오셨고, 어떻게 나를 부르셨으며, 나를 근본적으로 어떻게 변화시키셨는지'를 다른 사람에게 말하는 순간, 당신은 믿지 않는 사람에게 물이 포도주로 변한 것과 같은 신기하고도 놀라운 기적이 됩니다.

예수님이 자신의 사명을 먼저 생각하신 것처럼, 우리도 누군가와 대화를 나눌 때나 점심을 함께할 때나 이런저런 활동을 할 때마다 우리의 사명을 먼저 생각해야 합니다. "과연 나는 그리스도를 드러내고 있는가? 다른 사람에게 그리스도를 전하고 있는가? 내 말과 행동으로 예수님이 만왕의 왕이시며, 세상 죄를 지고 가는 하나님의 어린양이심을 드러내는가?"

YOUR STORY

하나님이 들려주시는 이야기는 오늘을 사는 나와 늘 연결되어 있습니다. 아래 질문에 답하면서 성경 이야기가 내 이야기와 어떻게 연결되는지 생각해 봅시다.

▶ 개인적으로 필요한 것을 하나님께 구하기가 어려운 까닭은 무엇인가요?
이 질문에 관한 대답은 다양할 것입니다.

▶ 이 이야기는 삶의 사소한 영역에서도 우리를 염려하시는 예수님에 관해 무엇을 알려 주나요?
이 질문에 관한 대답은 다양할 것입니다.

▶ 교회 울타리 밖에서 하나님의 영광이 드러나는 것을 본 적이 있나요? 그것을 본 사람들은 어떻게 변화되었나요?
이 질문에 관한 대답은 다양할 것입니다.

▶ 내 삶 가운데 구원을 베푸시는 하나님의 역사가 주변 사람들에게 하나님의 영광을 어떻게 드러냈나요?
삶에서 역사하시는 하나님을 보게 되면, 정말로 하나님이 구원하신다는 것을 알게 됩니다. 하나님이 삶의 목적, 욕망, 습관 등을 본질적으로 바꾸시는 것을 세상 사람들이 본다면, 그들은 실제로 하나님이 초자연적으로 구원하신다는 사실을 알게 될 것입니다.

하나님의 이야기
하나님이 그분의 아들 예수 그리스도를 통해 우리를 구속해 주신 이야기

우리의 이야기
우리의 이야기가 하나님의 이야기와 만나는 곳

YOUR MISSION

생 각

성경 전체에 하나님의 영광이 여러 방식으로 독특하게 표현되어 있습니다. 모세는 불타는 떨기나무에서 하나님의 영광을 보았는데, 노련한 목자라서 그것이 단순히 나무에 붙은 불이 아님을 알아차렸습니다(출 3장). 주님의 영광이 시내산에 구름처럼 임했을 때, 그것을 일상적인 뭉게구름으로 오해한 사람은 없었습니다(출 24:16~17). 벨사살은 벽에 손글씨가 쓰이는 것을 보고 자신이 사물을 분간하지 못하는 자임을 깨달았습니다(단 5:5~9). 하나님이 예수님의 탄생을 미천한 목자들에게 선포하실 때, 천사의 무리로 그 자리를 빛내게 하셨습니다.

- 하나님이 하신 일이 틀림없다고 증언할 만한 일을 체험한 적이 있나요?
  이 질문에 관한 대답은 다양할 것입니다.
- 그 체험으로 어떤 영향을 받았나요?
  이 질문에 관한 대답은 다양할 것입니다.

마 음

예수님의 어머니 마리아는 믿음이 충만했지만, 마치 어린아이처럼 예수님께 청했습니다. 어린아이는 필요한 것이 있을 때, 부모가 채워 줄 것을 확신하며 부모에게 청하는 법입니다. 부모와 협상하거나 부모를 가르치지 않고, 간단히 필요한 것만 말해도 됩니다. 이 혼인 잔치 이야기의 역설은 어머니가 아들에게 왔다는 것이며, 어머니는 아들의 신적 능력과 권세를 알아보았다는 것입니다.

- 자신의 삶 가운데 예수님의 신적 권세와 능력을 인정하고 순종해야 할 영역이 있나요?
  이 질문에 관한 대답은 다양할 것입니다.
- 예수님의 권세와 능력에 대한 확신이 기도 생활에서 어떻게 드러날까요?
  이 질문에 관한 대답은 다양할 것입니다.

행 동

예수님이 기적을 행하시기 전에 먼저 자신의 사명을 생각하신 것처럼, 우리도 누군가와 대화하거나 점심을 함께하거나 이런저런 활동을 할 때마다 우리의 사명을 먼저 생각해야 합니다. "과연 나는 그리스도를 드러내고 있는가? 다른 사람에게 그리스도를 전하고 있는가? 말과 행동으로 예수님이 만왕의 왕이시요, 주님이시요, 세상 죄를 지고 가는 하나님의 어린양이심을 전하는가?" 예수님이 어떻게 내 마음에 들어오셨고, 어떻게 내 이름을 부르셨으며, 어떻게 나를 근본적으로 변화시켜 주셨는지를 전한다면, 믿지 않는 사람들에게는 물이 포도주로 변한 것과 같은 신기하고도 놀라운 기적이 될 것입니다.

- 다른 사람의 삶 속에 역사하시는 예수님을 보고 놀란 적이 있나요?
  이 질문에 관한 대답은 다양할 것입니다.
- 주변에 예수님을 전하기 위해 어떤 구체적인 계획을 세울 수 있을까요?
  이 질문에 관한 대답은 다양할 것입니다.

다음 모임까지
예레미야 25~32장을
읽어 보세요.

부록 3

예수님이 베푸신 기적

"예수께서 제자들 앞에서 이 책에 기록되지 아니한 다른 표적도 많이 행하셨으나 오직 이것을 기록함은 너희로 예수께서 하나님의 아들 그리스도이심을 믿게 하려 함이요 또 너희로 믿고 그 이름을 힘입어 생명을 얻게 하려 함이니라"(요 20:30~31)

기적들	마태복음	마가복음	누가복음	요한복음
물을 포도주로 만드신 예수님				2:1~11
관원의 아들을 고치신 예수님				4:43~54
귀신을 쫓아내신 예수님		1:21~27	4:31~36	
베드로의 장모를 고치신 예수님	8:14~15	1:29~31	4:38~39	
해질 무렵에 많은 병자를 치유하신 예수님	8:16~17	1:32~34	4:40~41	
많은 물고기를 잡게 하신 예수님			5:1~11	
문둥병자를 고치신 예수님	8:1~4	1:40~45	5:12~14	
백부장의 종을 고치신 예수님	8:5~13		7:1~10	4:46~54
중풍 병자를 고치신 예수님	9:1~8	2:1~12	5:17~26	
손이 오그라든 사람을 고치신 예수님	12:9~13	3:1~6	6:6~11	
나인성 과부의 아들을 살리신 예수님			7:11~17	
폭풍을 잔잔하게 하신 예수님	8:23~27	4:35~41	8:22~25	
귀신들을 돼지 떼에 들어가게 하신 예수님	8:28~33	5:1~20	8:26~39	
군중 가운데 있던 여자를 고치신 예수님	9:20~22	5:24~34	8:43~48	
야이로의 딸을 살리신 예수님	9:18, 23~26	5:21~24, 35~43	8:40~42, 49~56	
두 소경을 고치신 예수님	9:27~31			
베데스다에서 38년 된 병자를 고치신 예수님				5:1~15
5천 명을 먹이신 예수님	14:13~21	6:31~34	9:10~17	6:5~15
물 위를 걸으신 예수님	14:22~33	6:45~52		6:16~21
게네사렛에서 많은 병자를 고치신 예수님	14:34~36	6:53~56		
이방 여인의 귀신 들린 딸을 고치신 예수님	15:21~28	7:24~30		
귀먹고 말 더듬는 자를 고치신 예수님		7:31~37		
4천 명을 먹이신 예수님	15:32~39	8:1~13		
벳새다에서 소경을 고치신 예수님		8:22~26	11:14~23	
날 때부터 소경 된 자를 고치신 예수님				9:1~12
벙어리 귀신 들린 아이를 고치신 예수님	17:14~20	9:14~29	9:37~43	
물고기의 입에서 성전세를 꺼내신 예수님	17:24~27			
귀신 들려 말 못하고 소경 된 이를 고치신 예수님	12:22~23		11:14~23	
불구가 된 여인을 고치신 예수님			13:10~17	
수종병 환자를 고치신 예수님			14:1~6	
문둥병자 10명을 고치신 예수님			17:11~19	
죽은 나사로를 살리신 예수님				11:1~44
바디매오의 시력을 회복시키신 예수님	20:29~34	10:46~52	18:35~43	
무화과나무를 말리신 예수님	21:18~22	11:12~14		
칼에 잘린 하인의 귀를 붙이신 예수님			22:50~51	
두 번째로 많은 물고기를 잡게 하신 예수님				21:4~11
죽음에서 부활하신 예수님	28:1~15	16:1~12	24:1~12	20:1~18

08

하늘의 떡을 먹어 봤니?

요 약

이 과에서는 예수님이 육체적 필요뿐 아니라 영적 필요도 채워 주시는 분임을 살펴볼 것입니다. 따르는 무리를 불쌍히 여기셨던 예수님은 그 자리에서 구할 수 있는 것만 가지고 놀라운 기적을 일으키셨고, 그 복을 제자들이 무리에게 전달하게 하셔서 무리를 먹이셨습니다. 이와 같이 예수님이 5천 명을 먹이신 기적은 그분이 '생명의 떡'으로서 무리에게 떡을 주시는 하나님이심을 입증한 사건입니다(요 6:35).

성 경

마태복음 14장 13~21절

HIS STORY

포 인 트	진정한 긍휼은 육체적 필요뿐 아니라 영적 필요까지도 채운다.
등 장 인 물	예수님(하나님의 아들, 성자 하나님)
메시지 좌표	오병이어 표적은 많은 사람에게 알려진 이야기입니다. 흥미롭게도, 본문에서 말한 5천 명은 성인 남자의 숫자입니다. 그 자리에 있던 여자와 어린아이의 수는 포함되지 않았습니다. 다시 말해서, 예수님이 먹이신 무리의 수는 적어도 1만5천 명은 될 것이라는 뜻입니다. 성인 남자 한 명당 한 명의 아내와 한 명의 자녀만 데려왔다고 생각했을 때 말입니다. 실제로 거기에 있던 사람이 몇 명이었던 간에 우리는 그곳에서 기적이 일어났고, 예수님이 무리를 불쌍히 여겨 그들을 먹이셨다는 사실을 알 수 있습니다.

도입 〉

우리는 가끔 이런 생각을 할 때가 있습니다. "내가 저 사람이라면 …." 그러나 막상 다른 사람이 된다는 것은 그리 쉽지 않습니다. 예컨대, 유명한 운동선수처럼 경기에서 멋지게 뛰어 보고 싶었던 적이 있나요? 국가 대표 선수를 대신해 다음 올림픽에 출전하고 싶었던 적이 있나요? 인기 개그맨처럼 다른 사람을 웃게 만드는 재주를 갖고 싶었던 적이 있나요?

이제 잠깐 시간을 내어 구약성경에서 가장 큰 역량을 발휘했던 한 사람을 생각해 봅시다. 그는 바로 모세입니다. 모세는 아기였을 때 하나님의 손길로 구원을 받았고(출 2장), 불타는 떨기나무에 나타나신 하나님으로부터 이스라엘 백성을 구하라는 소명을 받고 그 일을 감당했습니다(출 3장).

기적은 거기서 멈추지 않았습니다. 모세가 지팡이를 들자 홍해가 갈라졌고, 이스라엘 백성이 마른 땅을 지나자마자 파도가 밀려와 이집트의 군사들을 모조리 수장시켜 버렸습니다(출 14장). 그럼에도 하나님께 순종하지 않았던 이스라엘 백성은 광야에서 40년 동안이나 방황해야 했지만, 그때 하나님은 두 번이나 바위에서 물을 내어 주시고 아침마다 이슬 같은 만나를 내려 주셨습니다.

'만나'의 뜻은 '이게 뭐지?'입니다. 이스라엘 백성은 그것이 무엇인지 알지 못했으므로 그것을 그렇게 불렀다고 합니다. 그들은 굶어 죽을 것만 같아서 이집트의 노예 생활로 돌아가는 편이 낫겠다고 불평했는데, 그때 하나님은 모세에게 "하늘에서 떡을 비처럼"(출 16:4) 내려 주겠다고 하셨습니다. 하나님은 단순히 그들의 배를 채울 뿐만 아니라, 진리로 그들의 영혼을 채우고자 하셨습니다(출 16:12). 하나님은 만나를 항아리에 담아 언약궤에 보존하게 함으로써 그분이 백성을 부양하신 것을 기념하게 하셨습니다(출 16:32~34). 모세는 예수님의 길을 예비하고, 그분의 뒤를 따른 위대한 인물이었습니다.

▶ 다른 사람의 입장이 되어 보는 것이 왜 어려울까요? 왜 그 입장이 되고 싶지 않을까요?

땀, 눈물, 떡

절망과 비탄에 빠져 아무도 만나고 싶지 않은 때가 누구에게나 있기 마련입니다. 예수님도 비슷한 일을 겪으셨습니다. 예수님의 사촌인 세례 요한은 선지자요, 선구자요, 엘리야와 같은 사람이었습니다. 세례 요한은 하나님의 명령

도입 선택

교회와 공동체와 학교에서 필요한 일이 무엇인지 서로 말하게 하십시오. 그리고 나서 다음 질문을 하십시오.

· *이런 필요를 채우기 위해 우리가 할 수 있는 일에는 무엇이 있을까요?*
· *사람들을 물리적으로 도울 때, 어떻게 하면 예수님을 더 잘 알릴 수 있을까요?*

예수님은 사람들의 영혼을 목양하기에 앞서 사람들의 육체적인 필요를 먼저 채우셨습니다. 사람들에게 음식을 주신 다음에 자신이 생명의 떡이라는 진리를 선포하셨고, 우리의 영적 허기를 어떻게 영원히 채워 주실지에 관해 말씀해 주셨습니다.

연 대 표

하늘에서 내린 떡
BREAD FROM HEAVEN
예수님은 우리에게 육체적으로 필요한 것과 영적으로 필요한 것을 모두 공급하시다.

물 위를 걸으심
WALKING ON WATER
창조물을 지배하는 권리가 있음을 예수님이 입증하시다.

중풍 병자
THE PARALYTIC
치유하고 죄를 용서하는 모든 권세를 예수님이 가지시다.

귀신 들린 사람
THE DEMONIAC
예수님께 영적 세력을 제압하는 권세가 있음을 보여 주시다.

아픔과 죽음을 이기는 권세
POWER OVER SICKNESS AND DEATH
예수님께 아픔과 죽음에 대한 권세가 있음을 보여 주시다.

일으켜진 나사로
THE RAISING OF LAZARUS
예수님이 죽은 자의 무덤에서 나사로를 일으키시다.

을 용감하게 전하고자 했기 때문에, 자기 잘못을 인정하지 않고 비극적인 실수를 범한 통치자의 손에 참수당하고 말았습니다. 세례 요한의 사망 소식을 접한 그의 제자들은 예를 갖추어 스승의 장례를 치른 다음에, 그 사실을 알리러 예수님을 찾아갔습니다. 여기서부터 이야기가 시작됩니다.

> ¹³예수께서 들으시고 배를 타고 떠나사 따로 빈 들에 가시니 무리가 듣고 여러 고을로부터 걸어서 따라간지라 ¹⁴예수께서 나오사 큰 무리를 보시고 불쌍히 여기사 그중에 있는 병자를 고쳐 주시니라 (마 14:13~14)

예수님은 배에서 내려 무리가 기다리는 곳으로 가셨습니다. 오직 예수님만이 영생의 말씀을 가지신 분이며, 그들의 겉과 속을 모두 치유하실 수 있는 분입니다. 사람들은 단순히 즐기기 위해 예수님께 온 것이 아니었습니다. 그들은 오래전부터 들어 왔던 기적을 예수님이 베풀어 주시길 기대했습니다. 그들은 부모에게서 모세와 재앙 이야기를 들었고, 홍해가 갈라지고 바위에서 물이 솟고 하늘에서 만나가 내려온 이야기를 들어 왔습니다. 그런 그들에게 있어 예수님은 마치 모세처럼 여호와의 능력을 받은 분이었습니다. 예수님은 비록 몸과 마음이 고단하셨지만 그들을 보시자 불쌍히 여기셨습니다.

여기서 "불쌍히 여기사"로 번역된 헬라어는 "내장 깊숙한 곳이 흔들린다"라는 뜻입니다. 위험한 자연재해로부터 구출되는 어린이들의 사진을 보거나, 사랑하는 사람이 의사에게서 중병 진단을 받았다는 소식을 접할 때, 이처럼 몸이 흔들릴 것입니다.

예수님은 이 말을 선한 사마리아인이 느낀 감정을 표현할 때도 사용하셨습니다(눅 10:33). 이것을 누가는 독자를 잃은 과부를 위로하는 예수님에게 사용함으로써 예수님의 슬픈 감정을 표현했습니다(눅 7:13).

불쌍히 여기는 일은 예수님이 과거에 하셨던 것일 뿐만 아니라 예수님을 따르는 우리도 지금 실천해야 하는 것입니다. 절망하고, 상처받고, 슬퍼하고, 비탄에 휩싸인 사람들을 볼 때마다 우리에게는 해답이 있다는 것을 기억해야 합니다. 우리는 기적을 행하시는 분을 압니다. 그분은 죄와 슬픔을 제압하는 권세를 가지셨습니다.

● students

예수님은 먹을 것을 주시기 전에 그보다 훨씬 더 값진 것을 그들에게 주셨습니다. 그것은 바로 예수님 자신입니다. 출애굽기에서는 하늘에서 내린 떡이 하나님 백성의 배를 채워 주었으나, 이제 생명의 떡이신 예수님이 영원한 만족을 주실 것입니다(요 6:35-38). 예수님은 긍휼히 여기시는 마음으로 병자들을 고쳐 주셨습니다.

예수님은 홀로 머물며 쉬고 싶으셨지만, 무리가 예수님을 따라왔습니다. 예수님은 지칠 대로 지친 상태였음에도 좌절하거나 화내지 않으시고, 무리를 불쌍히 여기셨습니다. 만약 자신이 혼자 있고 싶을 때에 사람들이 찾아와서 무언가를 해 달라고 요구한다면 어떻게 할 것인가요? 예수님의 반응을 보고 깨달은 것은 무엇인가요?

너희가 주면 되지

2016년 리오 올림픽에 출전했던 케이티 레데키(Katie Ledecky)라는 수영 선수가 있습니다. 당시 19세였던 그녀는 은메달 한 개와 금메달 네 개를 따면서 경쟁자를 물리치고 기록을 경신했습니다. 감독에 따르면, 그녀는 수영 선수로서 신체 조건이 그다지 좋지 않았다고 합니다. 키뿐 아니라 손도 작았고 발은 평범했습니다. 운동선수 보고서에 따르면, 그녀에게서는 "특별히 눈에 띌 만한 장점이 발견되지 않았습니다."

그럼에도 불구하고 케이티는 운동선수였을 뿐만 아니라, 음악가이자 미술가이자 학생(이게 중요합니다)으로 활약하며 자신이 할 수 있으리라고 '생각되는' 것보다 더 대단한 것들을 해냈습니다. 우리도 그런 사람일지 모릅니다. 어쩌면 감독이 "너는 공놀이에는 맞지 않다"라고 말했을 것이고, 선생님이 "그 과목 시험은 절대로 통과하지 못할 거야" 하는 말을 들었겠지만, 결국은 그들의 예상을 뒤엎고 그것을 해내지 않았습니까?

우리는 이런 부정적 시각으로 예수님까지 폄하하기도 합니다. 불행히도 우리는 통제권을 하나님께 드리지도 않으면서, 하나님이 하셔야 한다고 생각하는 것들을 하나님이 하지 않으신다고 원망하는 경향이 있습니다. 이스라엘 백성은 모세와 아론에게 자신들을 광야로 인도해 내어 온 회중을 굶주려 죽게 한다고 불평했습니다 (출 16:3). 음식을 달라고 하나님께 구하지도 않았으면서, 주리게 되었다고 하나님을 원망했습니다. 하나님께 아무것도 고하지 않았으면서도 그들은 실망감을 표했습니다.

하나님은 음식을 주긴 주시되 그들이 구하기까지 기다리셨습니다. 이스라엘 백성은 믿음이 부족했고 화도 냈지만, 하나님은 신실하게 그들의 요구를 들어주셨습니다.

예수님이 하루 종일 비통한 심정으로 치유해 주시고 나자, 제자들이 다가왔습니다. 그리고 마치 이스라엘 백성들이 모세에게 했던 것처럼, 예수님께 말씀드렸습니다. 제자들의 말은 덜 도전적이긴 했지만 믿음이 없는 것이었습니다.

¹⁵저녁이 되매 제자들이 나아와 이르되 이곳은 빈 들이요 때도 이미 저물었으니 무리를 보내어 마을에 들어가 먹을 것을 사 먹게 하소서 ¹⁶예수께서 이르시되 갈 것 없다 너희가 먹을 것을 주라 ¹⁷제자들이 이르되 여기 우리에게 있는 것은 떡 다섯 개와 물고기 두 마리뿐이니이다 ¹⁸이르시되 그것을 내게 가져오라 하시고 (마 14:15~18)

제자들은 이렇게 소곤거렸을 것입니다. "예수님은 지금 시간이 얼마나 늦었는지 모르시는 걸까?" 해가 저문 광야에 있던 사람들은 굶주렸고, 제자들은 그들 가운데 음식이 있는지 신속히 알아봤지만, 음식이라곤 소년이 가져온 것이 전부였습니다 (요 6:9). 달리 할 수 있는 일이 없는 절망적인 상황 아닙니까? 그때 예수님은 "그것을 내게 가져오라"라고 말씀하셨습니다.

이게 바로 통로 역할!

제자들이 무리를 마을로 보내 각자 음식을 사 먹게 하자고 제안하자, 예수님은 그들에게 무리를 보내지 말고 먹을 것을 나누어 주라고 말씀하셨습니다. "무슨 말씀이세요?" 예수님의 뜻은 한결같았습니다. 무리에게 필요한 것이 있으면 제자들이 주어야 한다는 것이었습니다. 예수님은 무리가 몹시 굶주렸다는 것을 아셨습니다. 그러나 영적 굶주림이 더 심각하다는 사실도 아셨습니다.

무리를 마을로 보낸다면, 배의 굶주림만 해결할 것입니다. 그러므로 예수님은 제자들로 하여금 육체적 굶주림을 해결하게 하시고, 자신은 그들의 영적 굶주림을 해결하심으로써 모든 사람을 축복해 주셨습니다.

students

¹⁹무리를 명하여 잔디 위에 앉히시고 떡 다섯 개와 물고기 두 마리를 가지사 하늘을 우러러 축사하시고 떡을 떼어 제자들에게 주시매 제자들이 무리에게 주니 ²⁰다 배불리 먹고 남은 조각을 열두 바구니에 차게 거두었으며 ²¹먹은 사람은 여자와 어린이 외에 오천 명이나 되었더라(마 14:19~21)

students

능력과 기적은 모두 예수님에게서 나왔으나, 사람의 손과 제자들의 발을 통해 실행되었습니다. 먼저 축사하신 후에 예수님은 시간도 늦었고 음식도 없다고 불평하면서도 계속 예수님 주변에 앉아 있던 사람들에게 그 하늘 양식을 나누어 주셨습니다(마 14:15, 17). 그들이 지켜보는 앞에서 떡과 물고기는 5천 명이 먹기에 충분한 양식이 되었습니다. 각 사람이 간식처럼 조금만 먹은 것이 아니라 배가 부를 정도로 넉넉히 먹었습니다!

인간적 논리를 앞세우던 사람들이 예수님의 기적을 소상하게 알아차리지는 못했을지라도, 남은 음식이 열두 바구니를 채운 것을 확실히 봤습니다. 제자마다 채 먹지 못한 하늘의 떡을 바구니에 한가득 채웠습니다. 만나는 낮의 햇볕에 녹아 사라졌으나, 이 떡은 바구니에 담겨 하나님이 풍요롭게 공급하시는 분임을 모든 사람에게 드러내는 증거가 되었습니다.

알짬 교리 99

예수님의 신성

예수 그리스도의 위격 안에는 두 가지 본성, 즉 신성과 인성이 있습니다. 성경은 예수 그리스도가 온전한 하나님이시며 온전한 사람이라고 가르칩니다. 예수님의 신성은 그분을 하나님과 동등하신 분으로 묘사하는 성경 구절들에 드러나 있습니다(요 1:1~18; 빌 2:5~11; 골 1:15~20; 히 1:1~3). 신약성경은 하나님의 고유한 속성들을 예수님도 가지고 계심을 보여 주고(미 5:2; 요 1:4), 하나님만이 행하시는 일들을 예수님도 행하심을 보여 주며(막 2:5~12; 요 10:28; 17:2), 예수님이 스스로 하나님의 아들임을 말씀하신 것을 보도함으로써(마 26:63~64; 요 8:58; 10:30; 17:5), 예수님의 신성을 말해 주고 있습니다.

그리스도와의 연결

● students

예수님이 보잘것없던 떡 다섯 개와 물고기 두 마리로 남자 5천 명 외에 여자와 어린이까지 먹이시자, 의도와 상관없이 모세처럼 보이게 되셨습니다. 유대인들은 모세가 기적을 일으켜 만나를 주었다고 이해했습니다. 하지만 모세는 만나가 무엇인지 설명해 주는 사자였을 뿐이라고(출 16:15) 예수님은 그들에게 분명히 밝혀 주셨습니다. 하나님 아버지께서 하늘에서 하나님의 백성에게 떡을 내려 주셨다는 것입니다(요 6:32).

모세와 예수님은 모두 하늘에서 내려 주는 떡의 기적과 관련이 있습니다. 둘 다 양식이 되는 떡 이야기였습니다. 떡이 배를 채우고 마음을 강하게 하니 하나님을 믿고 하나님이 보내신 사람을 믿게 되었습니다. 그러나 예수님은 자신이 바로 생명의 떡임을 선포하심으로써 모세의 만나에서부터 시작된 가르침을 완성하셨습니다(요 6:35).

떡은 빈부를 막론하고 모든 사람을 배부르게 하지만, 영원히 지속되지는 않습니다. 예수님이 5천 명을 먹이신 것은 기적임이 틀림없지만, 떡을 먹은 사람들은 곧 다시 배가 고파질 것입니다. 그러나 하늘에서 내려온 떡이 그들의 마음 문을 열어 '생명의 떡'에 관한 말씀을 듣고 믿게 하였습니다.

만나와 기적의 떡은 보고 먹기에 좋았을 텐데, 하나님의 말씀에 적힌 대로 읽기만 하는 우리는 때로 그것을 볼 수 있기를 바라기도 합니다. 그런데 사실 우리는 그보다 더 나은 것, 더 대단한 것, 바로 '생명의 떡'이신 예수님을 소유하고 있습니다. 먹기만 하는 떡이 아니고, 40년 동안만 먹는 떡이 아닙니다. 영원한 떡입니다. 오로지 예수님만이 땅에서 생명을 갖고 죽어서는 영원한 생명을 갖도록 우리를 보존하는 떡이십니다(요 6:35).

5~10분

하나님이 들려주시는 이야기는 오늘을 사는 나와 늘 연결되어 있습니다. 아래 질문에 답하면서 성경 이야기가 내 이야기와 어떻게 연결되는지 생각해 봅시다.

▶ **다른 사람들에게 온정을 베풀지 않으려고 하는 이유는 무엇인가요? 그 이유는 정당한 가요? 정당하거나 정당하지 않다면, 그 이유는 각각 무엇인가요?**
이 질문에 관한 대답은 다양할 것입니다.

▶ **사람들은 어떤 경우에 하나님을 원망할까요?**
답은 다양할 것이지만, 사람들은 주로 어렵거나 힘든 상황에서 하나님을 원망합니다. 어려운 일을 경험할 때, 우러나는 감정적 반응으로 하나님을 원망하는 경우가 많습니다.

▶ **하나님을 향한 원망은 하나님에 관한 이해를 어떻게 보여 주나요?**
이 질문에 관한 대답은 다양할 것입니다.

▶ **이 이야기가 일상에서 예수님을 좀 더 신뢰하도록 도움을 주나요?**
이 질문에 관한 대답은 다양할 것입니다.

하나님의 이야기
하나님이 그분의 아들
예수 그리스도를 통해
우리를 구속해 주신 이야기

우리의 이야기
우리의 이야기가
하나님의 이야기와
만나는 곳

YOUR MISSION

생 각

소년이 음식을 내놓은 것에서, 우리도 주님께 무언가를 내어 드릴 필요에 대해 생각하게 합니다. 소년은 적은 것을 드렸으나 많은 기적을 보았습니다. 우리도 우리가 가진 것을 드림으로써 주님의 기적과 사랑을 경험할 수 있습니다. 만일 가진 것이 스트레스, 성급함, 불안, 고통뿐이라 할지라도 그것을 주님께 드리면 우리는 할 수 없는 일을 하실 것입니다. 스스로 해결하려고 애쓰지 말고, 주님을 신뢰하고, 뒤로 물러서지 말라고 말씀하십니다. 이스라엘 백성들은 그렇게 하는 대신 투덜거렸고 원망했습니다. 그들은 이집트로 돌아가자고 모세에게 소리쳤습니다. 그들은 소망이 없다고 인간적으로 판단하고, 노예 생활로 돌아가는 것이 해답이라고 생각했습니다. 그러나 하나님이 통치하시면 믿는 자에게 능치 못함이 없습니다(막 9:23). 오로지 예수님만이 우리가 할 수 없는 일을 할 수 있으십니다. 그러려면 예수님께 문제를 가지고 나아가야 합니다. 그러면 됩니다.

● 요즘 해결될 것 같지 않은 문제가 있나요?
  이 질문에 관한 대답은 다양할 것입니다.

● 자기 상황을 예수님께 온전히 맡긴다는 것은 어떤 의미일까요?
  이 질문에 관한 대답은 다양할 것입니다.

마 음

긍휼히 여기는 일은 예수님을 따르는 우리가 지금 실천해야 하는 일입니다. 그리스도인은 절망과 상처와 비탄에 싸인 사람을 불쌍히 여기며, 그들에게 자신의 자원과 음식과 집을 나누고, 위로와 소망의 말을 건네야 합니다. 지치거나 슬프거나 괴로울 때에도 긍휼한 마음으로 주님이 우리에게 하신 것처럼 하나님을 바라보아야 합니다. 아버지와 아들과 성령님은 감정에 멈추지 않고 행동으로 옮기는 사랑을 보여 주셨습니다. 그리스도를 따르는 우리도 불쌍하다고 느끼는 데서 그치지 않고 긍휼을 실천하는 데까지 나아가도록 부름 받았습니다.

● 최근에 긍휼함을 느낀 적이 있나요? 긍휼을 어떻게 실천했나요?
  이 질문에 관한 대답은 다양할 것입니다.

● 긍휼을 실천함으로써 다른 사람이나 자신의 변화를 경험한 적이 있나요?
  이 질문에 관한 대답은 다양할 것입니다.

행 동

예수님을 주와 구세주로 영접한다면, 종으로 부름 받게 됩니다. 예수님의 종이 되는 것은 특별한 일로, 우리는 그분이 하시는 놀라운 일에서 손과 발의 역할을 하게 됩니다. 믿음으로 나아가면, 편안하고 안락한 일상을 떠나 하나님이 허락하시는 방식으로 주변 사람에게 하나님의 영광을 드러내는 일을 하게 됩니다.

● 하나님이 누구를 어떻게 사용하여 나에게 하나님을 드러내 주셨나요?
  이 질문에 관한 대답은 다양할 것입니다.

● 하나님은 어떻게 그분의 이름으로 우리가 누군가를 사랑하고 인도하게 하셨나요?
  이 질문에 관한 대답은 다양할 것입니다.

> 다음 모임까지
> **예레미야 33~40장;
> 시편 74편; 79편**을
> 읽어 보세요.

09

왜 두려워하니?
내가 있는데

요약

그리스도인은 살면서 시험을 주는 다양한 힘든 일과 상황을 직면하게 됩니다. 그럴지라도 홀로 그것들을 직면하지 않는 것을 압니다. 하나님의 아들이신 예수님은 만물의 주권자로서 힘든 일과 상황에 직면한 우리를 깊은 위로와 용기의 자리로 불러내어 당당히 맞서게 하십니다. 예수님은 바람과 파도도 지배하는 주권자이십니다. 우리는 어떠한 상황에서도 그분을 예배할 수 있고, 같이 예배하자고 다른 이들을 초청할 수 있습니다.

성경

마태복음 14장 22~33절

HIS STORY

포 인 트	예수님은 인생의 모든 풍파를 잠재우신다.
등 장 인 물	예수님(하나님의 아들, 성자 하나님)
메시지 좌표	여러 가지 어려움과 두려움에 부딪히면, 어떤 일이 일어날까요? 시련과 역경이 닥쳐와 믿음을 시험할 때, 어떻게 하나요? 대답이야 어떻든지, 그리스도인이라면 그런 시련을 홀로 맞이하는 것이 아님을 확신해야 할 것입니다. 이 과에서 배울 기적 이야기에서처럼 예수님은 하나님의 아들이시며 만물의 주권자이십니다. 살면서 부딪히게 되는 어려운 문제들과 힘들게 싸울 때, 깊은 위로와 용기의 자리로 우리를 초청해 주십니다.

도입

주권자란 완전한 통수권을 지닌 주체를 뜻합니다. 누구를 우리의 주권자로 인정하기란 그분이 하나님일지라도 쉽지 않습니다. 우리는 자유롭게 독립하고 싶은 욕망 때문에 "하라. 하지 마라" 하고 명령하는 사람을 싫어합니다. 그러나 겸손하게 구원받을 필요를 인정하면, 우리의 주권자이신 구세주의 위대하심을 알게 됩니다. 그럴 때 우리는 어떤 상황에서도 그분이 우리를 지켜 주신다는 확신을 갖게 됩니다.

그리스도인에게 주권을 설명할 때는 구원의 맥락에서 설명하는 것이 효과적입니다. 우리는 자신을 스스로 구원할 수 없다는 사실을 압니다. 하나님이 개입하지 않으시면, 우리는 죄 가운데서 죽게 됩니다. 이처럼 심각한 문제들은 비교적 답이 분명하지만, 그보다 미묘한 삶의 영역에서 하나님의 주권을 인정하기는 쉽지 않습니다. 예컨대, 학교 문제, 시간 관리, 부모님과의 관계, 질병, 그리고 수천 가지 다른 문제들을 다룰 때는 하나님의 주권과 나의 욕망 사이에 긴장감이 감돕니다. 하나님의 주권 개념을 '교회 생활'이나 '신학 논쟁' 외에 다른 문제에 적용하기가 쉽지 않기 때문입니다.

▶ 세상에서 권력을 가진 사람들은 어떤 사람들입니까? 이런 권력 구도에서 다른 사람의 권력을 인정하기가 어려운 까닭은 무엇입니까?

이게 웬 난리야!

예수님은 장정 5천 명 외에도 여자들과 어린이의 무리를 먹이신 다음에 제자들에게 먼저 배를 타고 바다를 건너게 하셨습니다. 그리고 산에 올라가 홀로 기도하는 시간을 가지셨습니다.

²²예수께서 즉시 제자들을 재촉하사 자기가 무리를 보내는 동안에 배를 타고 앞서 건너편으로 가게 하시고 ²³무리를 보내신 후에 기도하러 따로 산에 올라가시니라 저물매 거기 혼자 계시더니 ²⁴배가 이미 육지에서 수 리나 떠나서 바람이 거스르므로 물결로 말미암아 고난을 당하더라 ²⁵밤 사경에 예수께서 바다 위로 걸어서 제자들에게 오시니(마 14:22~25)

students

도입 선택

간혹 우리는 누가 자신에게 무엇을 하라고 지시하거나 무언가를 가르치려고 할 때, "당신이 내 주인은 아니잖아요!"라든가, "내 일은 내가 알아서 해요!"라고 소리칩니다. "누가 그딴 소리를 해?" 하고 반문하기도 합니다. 다른 사람에게 복종하기는 어렵습니다. 우리는 누가 책임자인지, 그를 책임자라고 누가 생각하는지를 알고 싶어 하고, 또한 자신이 책임자가 되고 싶어 합니다. 그런데 과연 우리에게 최선은 무엇일까요? 감사하게도, 하나님은 우리에게 무엇이 최선인지를 아십니다. 그래서 하나님은 예수님을 우리의 최선으로 보내 주셨습니다. 예수님은 우리 삶을 완전하게 다스릴 수 있는 통수권을 가지고 계십니다. 우리는 때로 하나님의 손에서 벗어나 자기 방식대로 자신이 알아서 결정하고 싶어 조바심을 냅니다. 그러나 하나님의 방법이 언제나 최선임을 기억해야 합니다. 하나님은 모든 삶을 주관하시는 분이므로, 우리 삶을 경영하시도록 믿고 맡겨 드릴 수 있습니다.

· 우리는 왜 자기 삶을 주관하고 싶어 할까요?
· 하나님이 삶과 모든 것을 주관하시는 분임을 아는 것이 어떻게 위안이 됩니까?

연 대 표

물 위를 걸으심
WALKING ON WATER
창조물을 지배하는 권리가 있음
을 예수님이 입증하시다.

중풍 병자
THE PARALYTIC
치유하고 죄를 용서하는 모든
권세를 예수님이 가지시다.

귀신 들린 사람
THE DEMONIAC
예수님께 영적 세력을 제압하는
권세가 있음을 보여 주시다.

아픔과 죽음을 이기는 권세
POWER OVER SICKNESS AND
DEATH
예수님께 아픔과 죽음에 대한
권세가 있음을 보여 주시다.

일으켜진 나사로
THE RAISING OF LAZARUS
예수님이 죽은 자의 무덤에서
나사로를 일으키시다.

장례를 위한 기름 부음
ANOINTED FOR BURIAL
마리아가 예수님의 머리에 기름
을 붓다.

제자들이 떠날 때, 예수님은 그들과 함께 배에 타지 않으셨습니다. 예수님은 홀로 남아 하나님 아버지께 기도하기 위해 무리를 흩으셨습니다(23절). 완전한 사람으로서 예수님은 휴식하고 회복할 시간이 필요하셨습니다. 예수님이 하나님 아버지께 홀로 나아가 휴식하며 기분을 돋우고 원기를 회복하셨다는 사실이 놀랍습니다.

저녁에 제자들은 바다에 있었습니다(23~24절). 예수님이 아버지와 계시며 회복하시는 동안 세상은 계속 돌아갔고, 제자들은 폭풍 한가운데 갇혀 있었습니다.

아마도 제자들이 항해를 시작한 것은 오후였을 것이고, 예수님은 저녁 늦게까지 기도하셨을 것입니다. 다시 말하면, 제자들이 사나운 폭풍에 맞서기 시작할 때 예수님은 기도하고 계셨습니다.

살면서 어려운 시간이 닥칠 때, 우리는 하나님이 나를 잊으셨는지, 나를 사랑하시기는 하는지 의심하기도 합니다. 마가복음은 폭풍이 제자들을 강타했고, 예수님은 거스르는 바람 때문에 제자들이 힘겹게 노 젓는 것을 보고 계셨다고 기록합니다(막 6:48). 그러나 예수님은 제자들을 곧장 구하지 않으셨습니다. 아마도 제자들은 12시간 정도 폭풍 가운데서 버둥거렸을 것입니다. 그런데 예수님은 보고만 계셨습니다. 그런 다음에야 물 위를 걸어서 제자들에게 가셨습니다.

하나님이 즉각 응답하지 않으셔서 시련을 견뎌야 했던 적이 있었나요? 그 시련을 통해 신앙이 성장했나요?

> 요란하게 울부짖는 성난 바다 한가운데서 많은 사람이 불안해 할 때, 아마도 저 아래 선실에서 평온한 모습으로 있는 그리스도인이 있을 것입니다. 그들은 자신이 탄 배가 천국의 항구에 다다를 것인지, 아니면 다시금 육지, 즉 삶의 시련과 역경의 한복판으로 가게 될지 모르는 상태에서 하나님 아버지의 뜻을 끈기 있게 기다립니다. 그들은 자신들이 보살핌을 잘 받고 있다고 느낍니다. 그들은 폭풍이 집어삼키려 할지라도 하나님이 그들을 붙잡아 아무 해도 입지 않게 하실 것을 압니다. 하나님이 허락하지 않으시면 아무 일도 일어날 수 없기 때문입니다.
> 찰스 스펄전 Charles Spurgeon

"나다" 한마디로 게임 끝!

예수님이 물 위를 걸어서 제자들을 만나러 가시자 다음과 같은 일이 벌어졌습니다.

> [26]제자들이 그가 바다 위로 걸어오심을 보고 놀라 유령이라 하며 무서워하여 소리 지르거늘 [27]예수께서 즉시 이르시되 안심하라 나니 두려워하지 말라(마 14:26~27)

예수님을 본 제자들은 그분이 설마 예수님이라고는 생각하지 못했습니다. 예수님을 유령으로 오해한 것입니다. 여기서 기억해야 할 것은 제자들이 예수님을 마지막으로 만난 것이 예수님이 바닷가에 서 계실 때였다는 사실입니다. 그러므로 제자들 가운데 누구도 설마 예수님이 물 위를 걸어서 오시리라고는 생각하지 못했습니다. 그래서 예수님은 자신이 누구인지를 밝히며 제자들을 안심시키셨습니다. 이어서 제자들에게 두려움을 용기로 바꾸도록 초청하셨습니다. 이 진리를 기억해야 합니다. 예수님이 가까이 계실 때, 우리는 두려워할 필요가 없습니다. 예수님이 항상 우리 곁에 계시고, 우리를 떠나지 않으시리라는 확신을 가지면 안심할 수 있습니다(히 13:5).

예수님이 물 위를 걸어 제자들에게 오시자, 제자들은 놀라며 예수님을 유령이라고 생각했습니다. 예수님이 말씀하셨습니다. "안심하라. 나니 두려워하지 말라"(27절). 여기서 "나다"라는 말씀은 하나님이 모세에게 나타나셔서 "나는 스스로 있는 자이니라"(출 3:14)라고 직접 밝히셨던 사건을 떠올리게 합니다.

성경에 따르면, 하나님은 우리가 폭풍 없이는 도무지 이해할 수 없는 그분의 특성과 본성을 알려 주시기 위해 다양한 시점에 여러 시험을 주권적으로 허락하시는 것임이 틀림없습니다(롬 8:28~30; 약 1:1~4; 벧전 4:12~16). 게다가 폭풍 가운데 나타나시는 그리스도는 생생하고 인상적이십니다. 예수님이 위대하신 "스스로 있는 자"로서 항상 우리와 함께하시므로, 우리는 폭풍 가운데서도 담대하게 믿음을 지킬 수 있습니다. 그런데 우리 믿음이 흔들린다면 어떻게 해야 할까요?

students

²⁸베드로가 대답하여 이르되 주여 만일 주님이시거든 나를 명하사 물 위로 오라 하소서 하니 ²⁹오라 하시니 베드로가 배에서 내려 물 위로 걸어서 예수께로 가되 ³⁰바람을 보고 무서워 빠져 가는지라 소리 질러 이르되 주여 나를 구원하소서 하니 ³¹예수께서 즉시 손을 내밀어 그를 붙잡으시며 이르시되 믿음이 작은 자여 왜 의심하였느냐 하시고(마 14:28~31)

베드로는 예수님으로부터 믿음과 용기를 얻어 폭풍 가운데서 예수님께 다가가고 싶은 마음이 일었습니다. 이것은 시간을 들여 생각해 볼 가치가 있는 주제입니다. 베드로는 폭풍 가운데서 자신을 보호하던 유일한 수단인 배에 앉아 있다가, 배를 떠나 발걸음을 내딛기 시작했습니다. 여기서 우리는 예수님이 베드로를 부르시기 전에 베드로가 어부였다는 사실을 기억해야 합니다. 베드로는 예전에도 지금처럼 폭풍 한가운데 있었던 적이 있습니다. 그러나 본문이 강조하는 것은 베드로가 배에서 걸어 나와 말 그대로 물 위를 걷기 위해 그처럼 큰 용기를 낸 이유가 예수님께 다가가기 위함이었다는 것입니다!

베드로의 청을 들으신 예수님은 베드로에게 배에서 내려 물로 걸어오라고 하셨습니다. 이를 보고 제자들이 모두 놀랐습니다. 예수님이 아직 폭풍을 잠잠케 하지 않으셨으므로 바람이 여전히 성난 듯이 불었고, 물이 휘몰아쳤을 것입니다. 그런데도 베드로는 예수님의 명령에 순종했습니다. 하지만 물 위에서 강한 바람에 시선을 빼앗기고 용기를 잃고 말았습니다. 베드로는 과거의 두려움에 다시 사로잡혀 예수님을 향한 집중력을 잃었습니다.

베드로가 예수님께 구해 달라고 소리쳤을 때, 예수님은 곧장 구해 주지 않으셨습니다. 예수님은 베드로의 믿음 없음을 드러내시고, 왜 의심했는지를 물으셨습니다. 그런데 베드로의 믿음이 적은 것입니까? 적어도 베드로는 배에서 내려 물 위를 걸었으므로 누구보다도 나은 신앙을 가진 것이 분명합니다. 그런데도 예수님은 그에게 믿음이 적다고 하셨습니다. 예수님의 꾸지람은 베드로의 신앙이 약하므로 더 강하게 만들어야 한다는 뜻입니다. 그러려면 예수님께 더 많이 의지해야 합니다.

진짜가 나타나셨다

예수님이 폭풍을 잠잠하게 하심으로써 피조물을 통제하는 초자연적인 능력을 보여 주시는 중요합니다. 그런데 압권은 제자들이 예수님께 경배하는 장면에 있습니다(33절).

³²배에 함께 오르매 바람이 그치는지라 ³³배에 있는 사람들이 예수께 절하며 이르되 진실로 하나님의 아들이로소이다 하더라(마 14:32~33)

이 순간에 제자들은 예수님이 진실로 하나님의 아들이심을 고백했습니다. 바로 앞에 계신 예수님께 제자들이 경배했다는 것은 예수님의 신성을 온전히 믿었다는 뜻입니다. 이처럼 우리도 언젠가 삶에서 위대한 일을 행하신 주님을 뵙고, 이전보다 더욱 의미 있고 신실하게 주님을 예배하게 될 것입니다.

예수님이 상황의 주권자요, 우리에게 용기를 공급하는 분이심을 알면, 우리 마음은 걱정하지 않고 예수님을 경배하게 됩니다. 빌립보서 4장 6절은 "아무것도 염려하지 말고 다만 모든 일에 기도와 간구로, 너희 구할 것을 감사함으로 하나님께 아뢰라"라고 말합니다.

우리는 하나님께 필요를 요청합니다. 우리의 필요는 예수 그리스도께서 이루신 공로로 말미암아 우리가 이미 다 받은 것들로, 건강이나 지혜나 은혜나 영적 부요함 등입니다(엡 1:3). 이러한 요구 사항을 제출할 때 우리는 하나님이 그것들을 우리에게 다 주실 것을 알고 감사하는 한편, 당면한 문제에 관해 더 이상 걱정하지 말아야 합니다.

> 예수님이 십자가라는 엄청난 폭풍우 가운데 고개를 숙이신 모습이 존재 깊숙이 새겨진 사람이라면, "하나님은 내게 관심이 없으시죠?" 하고 불평하지 못할 것입니다. 예수님이 엄청난 폭풍 속을 내려다보시며 지켜 주시는 분이라는 것을 아는데, 어떻게 지금 겪고 있는 작은 폭풍 속에 버려질지도 모른다는 생각을 할 수 있겠습니까? 예수님은 언젠가 다시 오셔서 모든 폭풍을 영원히 잠재우실 것입니다.
> 팀 켈러 Timothy Keller

알짬 교리 **99**

창조의 선함

창세기 1장에서 하나님은 그분이 지으신 세계가 좋았다고, 심지어 "심히 좋았더라"(창 1:31)라고 반복해서 확증하셨습니다. 하나님은 창조주의 선한 성품을 반영하고 나타내게 하려고 세계를 창조하셨으며, 그 목적이 충족되었기에 보시기에 좋다고 말씀하셨습니다. 그러므로 죄와 악은 창조의 본질적인 부분으로 볼 수 없고, 오히려 창조의 타락으로 봐야 합니다. 죄의 결과로 창조 세계가 손상되고 왜곡되어 왔지만, 그럼에도 불구하고 창조 세계는 하나님의 손안에서 여전히 선하며, 그분의 영광을 선포하라는 목적을 위해 쓰임 받고 있습니다. 하나님의 백성은 하나님의 창조의 선함을 힘써 지키고, 보존해야 합니다(창 2:15).

그리스도와의 연결

students

예수님은 언제나 변함없이 다스리셨으며, 우리와 함께 계셨습니다. 오직 주님만이 성난 바다를 잠재우실 수 있습니다. 예수님을 하나님의 아들로 예배하는 일 외에 우리가 달리 해야 할 일이 무엇이 있을까요? 예수님은 바람과 파도만 잠잠하게 하신 것이 아니라 우리 죄를 향한 하나님의 진노를 십자가에서 삼키셨습니다. 삶의 폭풍 가운데를 지나는 동안에 그분께 우리를 지켜 달라고 믿고 맡기는 일 외에 우리가 할 수 있는 것이 무엇이 있을까요?

이 세상에서 우리의 안전은 우리 신앙의 힘에 있지 않고, 우리 신앙의 대상에게 있습니다. 우리의 믿음이 폭풍 속에서 흔들릴지라도 그리스도께서는 굳건하여 흔들리지 않으실 것이고 폭풍은 그분이 '하늘 구름'(단 7:13) 위에 올라타실 발판이 됩니다.

복음의 귀한 말씀을 상고할 때, 우리 믿음은 힘 있게 자라납니다. 복음은 우리에게 오로지 예수님만 예배 받기 합당하신 분이며, 구원자이심을 알려 줍니다. 이 진리는 우리 마음에 불을 붙이고, 우리를 인도하여 어떤 상황에서도 주 하나님을 향한 사명에 신실한 증인으로 살게 합니다.

하나님이 들려주시는 이야기는 오늘을 사는 나와 늘 연결되어 있습니다. 아래 질문에 답하면서 성경 이야기가 내 이야기와 어떻게 연결되는지 생각해 봅시다.

▶ 하나님 앞에 홀로 기도하는 것은 우리에게 어떤 유익을 경험하게 할까요?
   이 질문에 관한 대답은 다양할 것입니다.

▶ 예수님이 사나운 폭풍이 일어나는 바다 위를 걸어 제자들에게 오셨던 것처럼 어려움 가운데 예수님 덕분에 용기를 얻은 적이 있나요?
   이 질문에 관한 대답은 다양할 것입니다.

▶ 본문은 우리가 살아가면서 극복해야 할 '폭풍'을 바라보는 관점을 어떻게 바꾸어 주었나요?
   이 질문에 관한 대답은 다양할 것입니다.

▶ 베드로가 폭풍 가운데 걷다가 예수님에게서 눈을 떼어 실패한 모습을 보고 무엇을 깨닫게 되나요?
   이 질문에 관한 대답은 다양할 것입니다.

하나님의 이야기
하나님이 그분의 아들 예수 그리스도를 통해 우리를 구속해 주신 이야기

우리의 이야기
우리의 이야기가 하나님의 이야기와 만나는 곳

YOUR MISSION

생 각

인생의 폭풍이라 불릴 만한 상황 가운데서는 의심과 두려움이 생길 수밖에 없습니다. 때로는 육체적 폭풍보다 정신적 폭풍이 더 큰 충격과 상처를 남깁니다. 정신적 폭풍은 그대로 남아 있기 쉽기 때문입니다. 그런데 어떤 폭풍이 닥치더라도 예수님을 알기만 하면, 우리는 폭풍 한가운데서도 평안을 누릴 수 있습니다. 복음은 예수님과의 관계 덕분에 우리가 하나님과 평화를 누리고, 하나님의 평화에 다가갈 수 있음을 일깨워 줍니다.

- 하나님을 모든 상황의 주권자로 모신다면, 우리의 기도는 어떻게 달라질까요?
  현재 처한 상황에 하나님의 간섭을 구하며 기도하는 것은 하나님이 모든 상황보다 큰 분 이심을 믿는다는 믿음의 표현입니다.

- 실제 폭풍과 은유적 표현인 '인생의 폭풍' 중에서 어떤 것이 더 심각할까요? 그 이유는 무엇인가요?
  이 질문에 관한 대답은 다양할 것입니다.

마 음

생각해 보십시오. 폭풍이 칠 때, 배에 있던 베드로는 자신을 보호할 수 있는 유일한 수단인 배에서 내려 걸음을 떼기 시작했습니다. 그는 폭풍을 경험해 본 적이 있으므로 그것이 얼마나 위험한지를 잘 알고 있었습니다. 그럼에도 그는 예수님을 신뢰하며 배에서 내려 걸었습니다. 이 말씀이 전하는 내용은, 때로 하나님은 폭풍을 사용하여 우리가 "주님, 구해 주세요!" 하고 겸손하게 외치는 상황까지 인도하신다는 것입니다. 이런 때에 세찬 파도에 휩쓸리는 제자들을 번쩍 들어 올려 그들의 약한 믿음을 끌어올리시는 예수님의 힘을 체험하게 됩니다.

- 예수님의 부름을 따라 과감하게 박차고 나와야 할 당면한 인생의 폭풍은 무엇인가요?
  이 질문에 관한 대답은 다양할 것입니다.

- 인생의 어려운 시기가 닥쳤을 때, 예수님에 대한 믿음과 용기를 잃지 않을 수 있는 방법은 무엇일까요?
  이 질문에 관한 대답은 다양할 것입니다.

행 동

예수님이 사역에 모든 시간을 쓰셨다는 사실이 중요합니다. 예수님은 하나님이 보내신 사명을 완수하기 위해 온전히 헌신하셨습니다. 예수님은 마음과 목숨과 힘과 뜻을 다해 사람들을 돌보셨습니다. 사역을 완수하려면 지구력이 필요했으므로 시간을 따로 떼어 하늘 아버지와 단둘이 있는 시간을 마련하셨습니다. 이런 점은 하나님과 함께 하나님의 일을 하는 신자들이 배워야 할 부분입니다.

- 이 이야기가 기도 생활에 어떤 도전을 주나요?
  이 질문에 관한 대답은 다양할 것입니다.

- 하나님과 홀로 보내는 시간이 쉼을 얻고, 재정비되며 원기를 회복하는 데 도움이 된다는 사실을 깨닫는 것이 왜 중요할까요?
  이 질문에 관한 대답은 다양할 것입니다.

다음 모임까지
**열왕기하 24~25장;
역대하 36:1~21;
예레미야 52:41~44**을
읽어 보세요.

10

너의 죄를 사한다

요약

이 과에서는 예수님이 우리 육체뿐 아니라 영혼도 치유해 주시기를 구하는 것이 진정한 신앙임을 배울 것입니다. 예수님은 완전한 하나님으로서 몸이 아픈 환자만 치유하지 않으시고, 영적 질병인 죄의 문제도 해결해 주십니다. 예수 그리스도의 복음은 죄인들을 완전하게 고쳐 온전하게 합니다.

성경

마가복음 2장 1~12절

HIS STORY

포 인 트	예수님을 믿어야 죄를 용서받는다.
등 장 인 물	예수님(하나님의 아들, 성자 하나님)
메시지 좌표	중풍에 걸린 한 사람을 그의 친구 네 명이 예수님 앞으로 데려왔습니다. 집에 사람들이 가득하여 안팎으로 틈이 없었지만, 친구들은 포기하지 않았습니다. 그들은 지붕을 뚫고 예수님이 계신 곳으로 아픈 친구를 달아 내렸습니다. 예수님은 중풍 병자에게 그의 죄가 사해졌다고 말씀하시며 일어나 걸으라고 하셨습니다. 예수님은 그의 몸만 치료하신 것이 아니라 영까지도 치유해 주셨습니다.

도입) ────────────────●

기도회에 참석하면 몸이 아픈 사람들을 위한 기도 요청을 받게 됩니다. 이런 일은 기도회에 참석해 본 사람이라면 누구나 경험해 봤을 것입니다. 개인 기도에서도 있을 수 있습니다. 그러나 우리 가운데 누구도 그런 기도 요청을 받고 당황할 필요가 없습니다. 왜냐하면 하나님은 우리를 돌보시는 분이므로 기도와 간구로 하나님께 나아갈 수 있다고 성경이 가르치고 있기 때문입니다. 또한 하나님은 아버지로서 하나님의 자녀들에게 좋은 일을 하시기 때문에, 하나님께 나아가 사랑하는 사람들과 친구들의 몸을 고쳐 달라고 기도하는 것은 당연한 일입니다.

몸을 위해 기도하는 것도 무시해서는 안 되는 중요한 일이지만, 그것 못지않게 중요한 것은 영혼이 치유되도록 기도하는 일입니다. 이 세상의 모든 사람은 공통적으로 죄라는 영적 질병을 앓고 있습니다. 죄를 지은 이래로 모든 사람은 하나님과 단절된 아픔을 겪었습니다.

이 과에서는 예수님이 육체적 질병을 치료하실 뿐만 아니라 예수님을 믿는 사람들의 영적인 질병도 치유해 주신다는 사실을 배우게 될 것입니다.

▶ 몸에 필요한 것을 구하는 기도뿐 아니라 영혼에 필요한 것을 구하는 기도가 왜 중요할까요?

도입 선택

구약 시대에는 하나님이 선지자들을 통해 백성들에게 말씀하셨습니다. 많은 예언이 메시아의 탄생과 삶과 죽음에 관해 기록한 메시아 예언입니다. 메시아는 왕이요 제사장입니다. 이사야는 구약의 선지자들 가운데 한 명이었는데, 그는 특별히 예수님이 죽으시고 그 죽음을 통해 세상이 영적 치유를 얻게 되리라는 것을 예언했습니다. 예수님이 죄를 거두어 가시므로, 우리는 죄로 말미암는 질병을 영원히 치료받게 되었습니다.

• 예수님이 우리 죄를 위해 대신 벌을 받으시고, 우리로 하여금 용서받을 길을 열어 주셨다는 사실을 알게 된 후에는 삶이 어떻게 달라질까요?

지붕을 뚫고라도 들어가야겠어

마가는 예수님에 대한 중요한 배경 정보를 제공하며 본문을 시작합니다. 예수님은 설교와 전도를 위해 여행을 떠났다가 가버나움에 있는 집으로 돌아오셨습니다. 집으로 돌아와 쉬며 여독을 풀고 원기를 회복하고자 하셨습니다. 길에서 사역하는 동안에 예수님은 치유하고, 귀신을 쫓아내고, 여러 회당에서 설교하느라 많이 피곤하셨을 것입니다. 그런데 예수님이 집에 도착하자마자 그 소문이 마을에 퍼져 예수님을 만나러 오는 사람들이 많아졌습니다.

students

[1]수일 후에 예수께서 다시 가버나움에 들어가시니 집에 계시다는 소문이 들린지라 [2]많은 사람이 모여서 문 앞까지도 들어설 자리가 없게 되었는데 예수께서 그들에게 도를 말씀하시더니 [3]사람들이 한 중풍 병자를 네 사람에게 메워 가지고 예수께로 올새 [4]무리들 때문

연 대 표

중풍 병자
THE PARALYTIC
치유하고 죄를 용서하는 모든
권세를 예수님이 가지시다.

귀신 들린 사람
THE DEMONIAC
예수님께 영적 세력을 제압하는
권세가 있음을 보여 주시다.

아픔과 죽음을 이기는 권세
POWER OVER SICKNESS AND
DEATH
예수님께 아픔과 죽음에 대한
권세가 있음을 보여 주시다.

일으켜진 나사로
THE RAISING OF LAZARUS
예수님이 죽은 자의 무덤에서
나사로를 일으키시다.

장례를 위한 기름 부음
ANOINTED FOR BURIAL
마리아가 예수님의 머리에 기름
을 붓다.

**예루살렘으로 들어가신
예수님**
JESUS ENTERS JERUSALEM
예수님이 나귀를 타고 예루살렘
으로 들어가시다.

에 예수께 데려갈 수 없으므로 그 계신 곳의 지붕을 뜯어 구멍을 내고 중풍 병자가 누운 상을 달아 내리니(막 2:1~4)

이런 일이 우리에게 벌어졌다면, 솔직히 많이 실망했을 것입니다. 가족의 안락함을 떠나 기나긴 전도 여행을 마치고 귀가했다면, 개인 시간을 가지고 싶을 테니까요. 여행하고 집에 돌아온 직후에는 가족이나 친구들과 편안한 시간을 보내며 쉬고 싶을 것입니다. 지친 상태로 집에 오면서 평화와 고요 속에 휴식할 수 있기만을 고대했는데, 사람들이 집에 몰려와 북적거린다면 당황스럽지 않겠습니까? 학교에서 힘든 하루를 보내고 집에 막 도착하는 순간에 집 앞에서부터 큰길까지 차가 줄지어 서서 기다리고 있는 것을 상상해 보십시오. 오던 길을 돌아가서 조용하고 한적한 곳에 숨어 있고 싶지 않겠습니까?

본문에서 예수님은 절대적인 자기 비움을 보여 주셨습니다. 진실로 예수님은 온전한 하나님이자, 온전한 사람이셨습니다. 그래서 복음서의 여러 본문에는 예수님이 아버지와 단둘이 교감할 장소를 찾으시거나(막 6:46; 눅 6:12), 여행하느라 지치기도 하셨다고(요 4:6) 기록되어 있습니다. 이 본문 역시 예수님이 피곤하고 기운이 다 빠져서 쉴 곳을 찾으시는 순간을 담고 있는 것 같습니다. 그런데도 사람들이 찾아왔는데, 예수님은 그들을 돌려보내지 않으셨습니다. 들어설 자리가 없어서 문 앞에까지 서 있던 많은 사람들에게 예수님은 도를 말씀하셨습니다(막 2:2). 예수님은 길 잃은 사람들을 몹시 긍휼히 여기셨으므로 언제든 그들을 만날 준비를 하고 계셨습니다.

이와 같이 마가는 중요한 장면을 위한 무대를 설정하고 나서 새로운 등장인물을 소개하는데, 바로 중풍 병자와 그를 예수님께 데려온 친구들입니다. 그 집에는 이미 사람들로 가득 찼으므로 그 친구들은 정상적인 방법으로는 집 안에 들어갈 수가 없었습니다. 이때 그들은 중풍에 걸린 친구를 예수님께 치료받게 하고 싶은 열망에 가득 차서, 지붕을 뚫겠다고 하는 기발한 생각을 떠올렸습니다. 사실 네 사람이 중풍 병자를 침상에 메고 올 때에는, 어쩔 수 없는 상황이 되면 지붕을 뚫고 병자를 달아 내리자고 주도면밀하게 계획하지는 않았을 것입니다. 다만 그들은 예수님이라면 고쳐 주실 것을 확신했을 것이고 그 확신이 이런 생각을 떠올리게 했을 것입니다. 그들을 통해 어려움에 처한 사람을 끝까지 예수님께로 나아가도록 도와야 하는 것을 배우게 됩니다.

죄가 무거웠지?

이야기의 상황이 꼬인 것을 발견합니다. 예수님이 다른 병자들을 고쳐 주실 때는 그들의 몸을 깨끗이 치료해 주셨습니다. 그런데 여기서는 다른 일도 하셔서 쟁론이 되었습니다.

예수께서 그들의 믿음을 보시고 중풍 병자에게 이르시되 작은 자야 네 죄 사함을 받았느니라 하시니 (막 2:5)

예수님은 중풍 병자의 죄를 언급하시면서, 육체적 회복을 넘어 영적 회복으로 그 차원을 옮기셨습니다. 그의 죄를 용서해 주신다는 말씀은 예수님이 곧 하나님이시라는 대담한 선포였습니다.

우리는 오늘날에도 육체적 회복보다 영적 회복이 절박함을 알려야 합니다. 바울은 그리스도의 대사가 되어 다른 사람을 하나님께 인도하고 하나님과 더불어 화목하게 되도록 하는 일을 위해 교회를 권면했습니다 (고후 5:20). 무엇보다도 죄인은 예수님을 주님과 구세주로 믿음으로써 하나님과 화해할 필요가 있음을 알아야 합니다 (엡 2:1~10).

이런 이유 때문에 하나님의 아들은 길 잃은 우리를 찾아 구하시고, 자기 생명을 많은 사람을 위한 대속물로 내어 주기 위해, 하늘의 안락함을 버리셨습니다 (막 10:45). 이사야 53장 1~12절은 우리의 영적 상태에 대해 '죄로 말미암아 병들었다'라고 정의하고, 그런 우리를 예수님이 어떻게 고치셨는지 알려 줍니다. 이사야 53장 4~5절은 다음과 같이 기록합니다. "그는 실로 우리의 질고를 지고 우리의 슬픔을 당하였거늘 우리는 생각하기를 그는 징벌을 받아 하나님께 맞으며 고난을 당한다 하였노라 그가 찔림은 우리의 허물 때문이요 그가 상함은 우리의 죄악 때문이라 그가 징계를 받으므로 우리는 평화를 누리고 그가 채찍에 맞으므로 우리는 나음을 받았도다."

이사야 선지자의 말씀은 왜 메시아 예수님이 고난을 참으셨는지를 알려 줍니다. 히브리서 저자가 기록한 바와 같이, 예수님이 십자가를 참으신 까닭은 자기 죄 때문이 아니었습니다 (히 4:15). 메시아가 십자가에서 감당한 죄들은 아담의 타락한 후예가 지은 죄였습니다. 이사야가 밝혀 주는 바와 같이, 메시아는 인간성 타락의 죄로 말미암아 고난받아야 할 사람을 대신하여 고난을 받으신 것입니다(사 53:6).

예수님은 중풍 병자를 고치실 뿐 아니라 그의 죄를 용서해 주셨습니다. 우리로 하여금 하나님과 화해해야 함을 가르쳐 주신 예수님의 메시지를 어떻게 사람들에게 잘 전할 수 있을까요?

예수님이 나를 대신하여 벌을 받으셨다는 사실이 나에게 어떤 영향을 주었나요?

나라서 말할 수 있다

그 집에 있던 서기관들은 죄를 용서하신다는 예수님의 선포에 충격을 받았습니다. 그들이 어떤 반응을 보였는지 살펴보겠습니다.

⁶어떤 서기관들이 거기 앉아서 마음에 생각하기를 ⁷이 사람이 어찌 이렇게 말하는가 신성 모독이로다 오직 하나님 한 분 외에는 누가 능히 죄를 사하겠느냐 ⁸그들이 속으로 이렇게 생각하는 줄을 예수께서 곧 중심에 아시고 이르시되 어찌하여 이것을 마음에 생각하느냐 ⁹중풍 병자에게 네 죄 사함을 받았느니라 하는 말과 일어나 네 상을 가지고 걸어가라 하는 말 중에서 어느 것이 쉽겠느냐 ¹⁰그러나 인자가 땅에서 죄를 사하는 권세가 있는 줄을 너희로 알게 하려 하노라 하시고 중풍 병자에게 말씀하시되 ¹¹내가 네게 이르노니 일어나 네 상을 가지고 집으로 가라 하시니 ¹²그가 일어나 곧 상을 가지고 모든 사람 앞에서 나가거늘 그들이 다 놀라 하나님께 영광을 돌리며 이르되 우리가 이런 일을 도무지 보지 못하였다 하더라(막 2:6~12)

예수님의 이런 주장은 어느 교사나 예언자도 하지 않은 것이었습니다. 이 주장 때문에 서기관들은 예수님이 신성모독의 죄를 범했다고 결론을 내렸습니다. 왜냐하면 하나님만이 죄를 사하실 수 있으므로 예수님이 하나님과 같음을 주장하셨기 때문이었습니다. 예수님이 중풍 병자를 고치시면서 그의 죄를 사하시겠다는 그분의 주장을 입증하시자 그들의 비난이 어긋났다는 것이 더욱 명백해졌습니다.

예수님은 초자연적 지식(모든 것을 아는 능력)을 사용하여 서기관들의 속내를 드러내셨습니다. 그리고 병자의 몸을 치유하면서 다시 힘 있게 걸으라고 하는 말과 네 죄가 사해졌다는 말 중에서 어떤 것이 더 쉬운 말이겠느냐고 반문하며 도전하셨습니다. 죄를 용서하는 능력을 가지고 있다고 주장하는 편이 더 안전할 것입니다. 그런 주장을 한들 그 능력을 어떻게 입증할 수 있겠습니까? 중풍을 치료할 수 있다고 주장하는 편이 훨씬 더 어려운 이유는, 그 주장을 하자마자 그가 걷는 것을 보여 주어야 하기 때문입니다. 만약에 예수님이 실제로 그의 몸을 고쳐 주셔서 그가 일어나 걸을 수 있게 하실 수만 있다면, 그것은 죄를 용서하는 능력이 있다는 예수님의 주장을 입증하는 셈이 될 것입니다.

그러므로 예수님은 중풍 병자에게 일어나 자기 침상을 가지고 집으로 가라고 말씀하셨습니다. 그에게 간단한 세 가지 선언을 하셨습니다. 그곳에 있던 사람들이 무슨 생각을 했을지 상상할 수 있겠습니까? 예수님은 자신을 하나님과 동등하게, 인자요 메시아로 소개하셨고, 자신은 하나님처럼 죄를 사하는 능력을 가지고 있다고 주장하셨으며, 중풍 병자에게 일어나 집으로 가라고 명령하셨습니다! 그곳에 팽팽한 긴장감이 감돌았을 것입니다.

마가는 모든 사람이 놀라 하나님께 영광을 돌리면서 자신들은 예수님이 병을 치료하신 것과 같은 것을 이전에는 본 적이 없다고 말했다고 기록합니다(막 2:12). 그 기적을 목격한 사람들은 모두 소스라치게 놀랐습니다. 그들이 순회 교사로만 알았던 예수님이 스스로 하나님과 동등한 메시아이심을 입증하신 것입니다. 예수님은 죄를 사하실 능력과, 영적 질병과 육체적 질병을 모두 치유할 능력을 가지고 계셨습니다.

알짬 교리 99

제사장이신 그리스도

위대한 대제사장이신 예수님은 우리를 하나님과 화해시키는 사역을 완수하셨습니다. 예수님은 우리를 의롭게 하시고자 아버지께 완전한 의를 드리신 분입니다. 또 우리를 위해 아버지 앞에 중보하는 분이시며(히 7:25; 9:24), 우리를 위해 여전히 신실하게 기도하는 분이십니다(눅 22:31~32; 요 17장).

그리스도와의 연결

세상은 아직도 예수님의 복된 소식을 한 번도 들은 적이 없는 사람들로 가득합니다. 심지어 교회에 출석하는 사람들 중에도 그런 사람이 많습니다. 그들 가운데 많은 사람이 첫 조상 아담에게서 죄의 질병을 물려받았다는 사실을 알지 못합니다. 우리는 불쌍히 여기시는 그리스도를 본받아 길 잃은 사람들을 찾아내고, 예수 그리스도께서 우리 죄를 사하여 하나님과 우리를 화평케 하심으로써 그리스도 안에서 새 삶을 주려고 행하신 일에 관한 복된 소식을 그들과 함께 나누어야 합니다.

모든 인간에게 가장 필요한 것은 죄를 사함 받고, 영적으로 온전하게 회복하여 하나님께 돌아가는 것입니다. 죄 용서는 오로지 그리스도께서 흘리신 피로써만 가능합니다(엡 1:7). 예수님은 죄인이 받아야 할 진노에서 우리를 구원하시는 하나님의 계획을 성취하신 분입니다. 이것이 복음의 핵심 내용입니다.

본문을 살피며 알게 되는 것은, 예수님은 인간의 고난과 죄성에 대한 자신의 권위와 능력을 입증하기 위해 중풍 병자를 고치셨다는 것입니다. 더 나아가 우리가 알아야 할 것은, 중풍 병자의 죄를 사하신다는 예수님의 주장은 곧 자신이 하나님과 동등하다는 공식적 선언이라는 사실입니다. 이로써 예수님은 그 집에 모인 목격자들에게 자신의 신성을 계시하시고, 그들이 기다리던 메시아 예언들이 성취되었음을 선포하셨습니다. 오로지 예수님만이 그들의 영적 질병을 말끔히 고쳐 줄 자격이 있으십니다.

모든 진리가 마음속의 열정에 불을 지펴 믿지 않는 사람들을 예수님께 데리고 가는 동력이 되어야 합니다. 예수님만이 영적 죄로 말미암은 질병을 고치시고, 우리 죄를 용서해 주실 수 있는 분입니다.

YOUR STORY

하나님이 들려주시는 이야기는 오늘을 사는 나와 늘 연결되어 있습니다. 아래 질문에 답하면서 성경 이야기가 내 이야기와 어떻게 연결되는지 생각해 봅시다.

▶ 예수님이 긍휼을 베푸신 이 이야기를 통해 깨닫게 된 것이 있다면 무엇인가요?
이 질문에 관한 대답은 다양할 것입니다.

▶ 장기적으로 볼 때, 영적 질병을 고치는 일이 왜 육체적 질병을 고치는 일보다 더 유익할까요?
몸을 치료받으면 이 세상에 사는 동안에 유익합니다. 그런데 병이 낫더라도 결국 몸은 죽기 마련입니다. 그러나 예수님으로 말미암아 죄를 용서받고, 영혼을 치유받으면 이 세상뿐 아니라 오는 세상에서도 유익합니다.

▶ 이 이야기는 다른 사람의 치유를 간구하는 것에 관해 무엇을 가르쳐 주나요?
예수님의 모든 치유 이야기가 그러하듯이 이 이야기가 주는 교훈은 다른 사람들이 육체적 필요와 어려움을 해결하도록 항상 돕고 기도해야 한다는 것입니다.

▶ 이 이야기에서 개인적으로 어떤 도전을 받았나요?
이 질문에 관한 대답은 다양할 것입니다.

하나님의 이야기
하나님이 그분의 아들
예수 그리스도를 통해
우리를 구속해 주신 이야기

우리의 이야기
우리의 이야기가
하나님의 이야기와
만나는 곳

YOUR MISSION

 생 각

예수님을 구세주로 영접한 사람들이 누리는 최고의 축복은 죄의 질병을 영적으로 온전하게 치료받는다는 것입니다. 이런 관점에서 이해해야 할 것은, 영원한 세상에 들어가기 전까지는 모든 육체적 질병에서 자유로울 수 없겠지만, 예수님을 믿는 사람들은 죄로 인한 징벌을 받지 않는다는 사실입니다. 믿는 사람은 하나님에게서 분리되지 않을 것이고, 믿지 않는 사람에게는 죽음과 영원한 질병과 하나님의 진노가 쏟아질 것입니다(계 21:4).

● 예수님이 행하신 기적과 주장을 보고, 예수님에 관해 무엇을 믿어야 할까요?
  하나님만이 죄를 용서하실 수 있기 때문에, 예수님이 하나님이심을 믿을 수 있습니다.

● 어떻게 하면, 몸의 질병보다 '죄로 인한 질병'부터 치료하는 것이 중요하다는 것을 사람들에게 이해시킬 수 있을까요?
  이 질문에 관한 대답은 다양할 것입니다.

 마 음

그들은 중풍에 걸린 친구를 예수님께 치료받게 하고 싶은 열망을 안고, 먼 길을 마다하지 않고 친구를 메고 갔습니다. 예수님이라면 그 친구를 고쳐 주실 것으로 확신했기 때문입니다. 그들을 보면서 가족과 친구를 어떻게 보살펴야 할지 배웁니다. 여러분은 가족이나 친구가 예수님을 만나 몸과 마음이 전인적으로 치유되도록 하기 위해 얼마나 멀리까지 그들을 메고 갈 수 있나요? 주변 사람들이 예수님을 만나 영적으로, 감정적으로, 정신적으로, 신학적으로, 그리고 경제적으로 회복하도록 얼마나 멀리까지 그들을 메고 갈 수 있을까요?

● 이 이야기는 우리를 회복시키시는 예수님의 능력에 관한 믿음을 어떻게 더해 주나요?
  이 질문에 관한 대답은 다양할 것입니다.

● 중풍 병자의 친구들처럼, 어떤 뜻을 가지고 다른 사람을 예수님께 인도한 적이 있나요?
  이 질문에 관한 대답은 다양할 것입니다.

 행 동

예수님이 계신 집에 모여 있던 사람들은 그분이 자신들을 그냥 돌려보내지 않으실 것이라고 생각했습니다. 이 이야기는 세상에서 길 잃은 양의 무리도 예수님을 만나고, 예수님이 긍휼히 여기시는 분임을 믿을 수 있도록 기도해야 한다는 사실을 알려 줍니다. 길 잃은 사람들을 대할 때, 부드러운 말과 관심 어린 눈길과 필요한 것을 채워 주려는 열린 마음으로 대하면, 그들도 우리를 통해 구세주의 긍휼히 여기시는 마음을 느낄 것입니다. 이런 방식으로 우리를 그처럼 사랑하시는 구세주를 전할 수 있습니다.

● 길 잃은 사람들에게 복음을 전하지 않고, 그들과 교제하기를 회피하는 것에 대해 어떤 변명을 할 수 있을까요?
  너무 바쁘다거나 복음을 잘못 전할 것 같다거나 하는 변명을 할 수 있을 것입니다.

● 복음서에 나타난 예수 그리스도의 긍휼은 우리의 변명을 어떻게 잠잠하게 하나요?
  이 질문에 관한 대답은 다양할 것입니다.

> 다음 모임까지
> **오바댜; 시편 82~83편;**
> **예레미야 45~48장을**
> 읽어 보세요.

11

모두가 두려워 떠는 분

요 약

이 과에서는 예수 그리스도에게 악한 영을 제어하는 힘과 권세가 있다는 것을 증언할 것입니다. 예수님은 악한 영에 사로잡힌 결과로 사회에서 격리되고 소외된 사람을 염려하셨습니다. 예수님은 그를 결박에서 풀어 주시고, 하나님의 선하심을 증언하도록 초청하셨습니다. 우리 또한 예수님의 힘과 능력을 신뢰하고, 죄의 결박에서 놓인 사람들로서 하나님의 선하심을 증언하도록 초청받았습니다.

성 경

마가복음 5장 1~20절

HIS STORY

포 인 트	예수님은 악한 영을 힘과 권세로 다스리신다.
등 장 인 물	예수님(하나님의 아들, 성자 하나님)
메시지 좌표	귀신이나 악한 영에 사로잡힌 사람이 나오는 드라마나 영화를 본 적이 있을 것입니다. 그런 장면을 보기만 해도 불안해지는데, 만약 예수님과 제자들이 귀신 들린 사람을 만난 곳에 함께 있었다면 긴장할 수밖에 없을 것입니다. 그러나 예수님은 만물의 주로서 주권을 행사하심으로써 우리의 두려움을 씻어 주실 것입니다.

도입)

모든 직업에는 공통점이 하나 있습니다. 상관이 있다는 것입니다. 모든 사람은 자신을 통제하는 상관이 있거나, 아니면 자신이 다른 사람들을 통제합니다.

그러나 상관의 권한은 제한되어 있습니다. 어떤 시의원도 시 전체에 관한 보편적인 관할권을 갖지는 못합니다. 심지어 대통령이라도 다른 나라를 대신하여 결정할 권한은 없습니다. 권한은 있지만, 제한적인 것입니다. 모든 권한을 독차지하는 사람은 지구상에 없습니다.

상관들과 달리 예수님은 모든 권세를 가지고 계십니다. 예수님은 인상적인 외모를 갖지 않으셨습니다(사 53:2). 권력을 가진 사람이라면 모름지기 누릴 것으로 예상되는 호화로움도 누리지 않으셨습니다. 그럼에도 불구하고, 하늘과 땅의 모든 권세를 가지고 계십니다(마 28:18).

그뿐만 아니라, 예수님의 권세는 만물 전체를 다스리는 통수권입니다. 예수님의 능력과 권세는 너무나 광대하여 이해하기 어려울 정도입니다. 이 과에서는 예수님의 통수권이 천상의 영역에서 전쟁을 수행하는 악령의 세력에까지 미친다는 사실을 배우게 될 것입니다(엡 6:12)

▶ 상관이 있는 아르바이트를 한 적이 있었나요? 그때 상관을 어떻게 대했나요?

네가 무덤가에 버려졌더라도

그리스도께서는 이 땅에서 사시는 동안에 자신의 위대한 능력을 드러내셨습니다. 복음서는 여러 곳에서 예수님이 귀신 들린 사람들과 몸에 들어간 악한 영에 사로잡힌 사람들을 만나셨다고 기록했습니다. 여기서 가장 기억할 만한 장면 중의 하나를 살펴보겠습니다.

¹예수께서 바다 건너편 거라사인의 지방에 이르러 ²배에서 나오시매 곧 더러운 귀신 들린 사람이 무덤 사이에서 나와 예수를 만나니라 ³그 사람은 무덤 사이에 거처하는데 이제는 아무도 그를 쇠사슬로도 맬 수 없게 되었으니 ⁴이는 여러 번 고랑과 쇠사슬에 매였어도 쇠사슬을 끊고 고랑을 깨뜨렸음이러라 그리하여 아무도 그를 제어할 힘이 없는지라 ⁵밤낮 무덤 사이에서나 산에서나 늘 소리 지르며 돌로 자기의 몸을 해치고 있었더라 ⁶그가 멀리

students

주로 가정에서는 부모님, 학교에서는 선생님께 권위가 있습니다. 교회학교에서는 담당 전도사님에게 권위가 있을 것입니다. 이 말은 그들이 우리를 안전하게 지켜주기 위한 기준을 마련해 준다는 뜻입니다. 그들은 우리가 그 기준에 순종하게 하고, 순종 여부에 따라 결과에 책임을 지게 합니다. 그들이 마련한 규칙들은 우리를 해치기 위한 것이 아니라 우리의 안녕을 위한 것입니다. 우리를 안전하게 지켜 주고, 바른 기준에 따라 어떻게 반응하고 행동해야 할지를 가르쳐 줍니다.

· **내게 권위가 있는 사람에는 누가 있나요?**

이런 사람들이 당신에 대한 힘이나 권세를 가지고 있다고 말하는 것은 이상하게 들릴 수도 있지만, 좋은 것입니다. 그들의 힘과 권세는 우리를 돕고 보호합니다. 부모님이나 선생님이나 감독님이나 전도사님과는 다르게, 예수님의 권세는 한량없고 만물에 미칩니다. 예수님의 무한한 힘과 권세는 물리적 영역뿐 아니라 영적 영역에까지 미칩니다. 심지어 악한 영조차 예수님께 순종해야 합니다.

· **예수님에게 악한 영을 다스리는 힘과 권세가 있다는 사실을 통해 무엇을 깨닫게 되나요?**

연 대 표

귀신 들린 사람
THE DEMONIAC
예수님께 영적 세력을 제압하는 권세가 있음을 보여 주시다.

아픔과 죽음을 이기는 권세
POWER OVER SICKNESS AND DEATH
예수님께 아픔과 죽음에 대한 권세가 있음을 보여 주시다.

일으켜진 나사로
THE RAISING OF LAZARUS
예수님이 죽은 자의 무덤에서 나사로를 일으키시다.

장례를 위한 기름 부음
ANOINTED FOR BURIAL
마리아가 예수님의 머리에 기름을 붓다.

예루살렘으로 들어가신 예수님
JESUS ENTERS JERUSALEM
예수님이 나귀를 타고 예루살렘으로 들어가시다.

최후의 만찬
THE LAST SUPPER
예수님이 새 언약을 세우시다.

서 예수를 보고 달려와 절하며 7큰 소리로 부르짖어 이르되 지극히 높으신 하나님의 아들 예수여 나와 당신이 무슨 상관이 있나이까 원하건대 하나님 앞에 맹세하고 나를 괴롭히지 마옵소서 하니 8이는 예수께서 이미 그에게 이르시기를 더러운 귀신아 그 사람에게서 나오라 하셨음이라(막 5:1~8)

이런 사람과 마주치는 것을 상상할 수 있겠습니까? 무서울 것입니다. 그는 시체들을 묻은 무덤가에 살고 있었습니다. 사람들이 쇠사슬로 묶으려 할 때마다 그는 쇠사슬을 끊어 내곤 했습니다. 그는 소위 '미치광이'로 불렸으며 정상적인 사회생활이 어려워 격리된 사람이었습니다.

사람들이 그를 무서워한 것은 당연합니다. 첫째, 그는 믿을 수 없을 만큼 힘이 셌습니다. 그가 다른 사람들에게 해를 끼치지 않게 하려고 사람들이 무진 애를 썼습니다. 쇠사슬로 그의 손과 발을 묶어 보기도 했지만, 아무 효과가 없었습니다. 족쇄도 그의 힘을 감당하지 못했습니다.

둘째, 그는 자해하는 행동을 서슴지 않고 했습니다. 그는 사람들에게 배척당하고 어울리지 못했습니다. 사람들은 그를 제어할 수 없기에 마을 밖으로 추방했습니다. 그는 문화와 사회에서 철저하게 고립되었습니다.

귀신 들린 사람을 묶어서 무덤가에 던진 사람들과 달리, 예수님은 그를 발견하시고 그에게 다가가셨습니다. 예수님은 그 불쌍한 죄인을 외면하지 않으셨습니다. 사실, 그렇게 다가간 사람들이 없었습니다. 예수님이 귀신 들린 사람을 염려하신 이유는 악한 영이 그를 유린했을 뿐만 아니라 그가 실제로 아팠기 때문입니다. 어떤 의술로도 그를 고칠 수가 없습니다. 어떤 자기 계발서로도 그를 회복시킬 수 없습니다. 예수님은 지금 우리가 아는 것, 즉 오로지 예수님만이 그의 삶을 영원히 변화시킬 능력과 권세를 가지고 계신다는 사실을 아셨던 것입니다.

이해할 수 없는 것들을 두려워하는 까닭은 무엇일까요? 하나님이 그러지 말라고 명하셨는데도 우리가 악을 두려워하는 까닭은 무엇일까요?

귀신도 믿고 떨다니!

예수님은 곤경에 빠진 그를 불쌍히 여기시기만 한 것이 아닙니다. 악을 제압하는 능력을 입증해 보이셨습니다.

⁹이에 물으시되 네 이름이 무엇이냐 이르되 내 이름은 군대니 우리가 많음이니이다 하고 ¹⁰자기를 그 지방에서 내보내지 마시기를 간구하더니 ¹¹마침 거기 돼지의 큰 떼가 산 곁에서 먹고 있는지라 ¹²이에 간구하여 이르되 우리를 돼지에게로 보내어 들어가게 하소서 하니 ¹³허락하신대 더러운 귀신들이 나와서 돼지에게로 들어가매 거의 이천 마리 되는 떼가 바다를 향하여 비탈로 내리달아 바다에서 몰사하거늘 ¹⁴치던 자들이 도망하여 읍내와 여러 마을에 말하니 사람들이 어떻게 되었는지를 보러 와서 ¹⁵예수께 이르러 그 귀신 들렸던 자 곧 군대 귀신 지폈던 자가 옷을 입고 정신이 온전하여 앉은 것을 보고 두려워하더라 ¹⁶이에 귀신 들렸던 자가 당한 것과 돼지의 일을 본 자들이 그들에게 알리매 ¹⁷그들이 예수께 그 지방에서 떠나시기를 간구하더라(막 5:9~17)

이 이야기에서 우리가 엿볼 수 있는 주요 진리 가운데 하나는 마귀를 포함한 모든 악한 영은 그리스도의 권세 아래 있다는 것입니다. 어떤 악령에게도 최종 결정권이 없습니다. 마귀와 악한 영은 더 위대하고 훨씬 더 강한 분에게 종속되어 있습니다. 본문을 살펴보니, 귀신들은 예수님께 간청했고, 예수님은 그들이 돼지들에게 들어가는 것을 허락하셨습니다. 성경은 귀신들도 믿고 '떨었다'라고 기록했습니다(약 2:19). 그러므로 우리가 알아야 할 것은, 악령도 하나님의 능력을 믿으며 자신들은 하나님의 권세 아래에서 하나님이 허락하신 범위 안에서만 행동할 수 있음을 안다는 것입니다.

비록 오늘날에는 신약에 나오는 귀신 들림과 똑같은 현상이 자주 일어나지 않습니다. 그러나 오늘날도 사탄은 전도 사역을 가로막기 위해 온 힘을 다해 귀신 들림을 포함한 방해 행위를 합니다. 악은 마음에서 일어나므로(막 7:23), 귀신 들린 행동을 너무 과대평가할 필요는 없습니다. 그러나 악한 귀신들은 어떤 상황에서도 나쁜 영향을 끼칠 가능성이 있음을 염두에 두지 않을 수 없습니다.

그는 단순히 미친 사람이 아니라 귀신 들린 사람이었습니다. 그는 사악한 영들, 영의 군단에 사로잡힌 사람이었습니다. 그러나 예수님은 말씀의 힘과 권

본문으로 더 깊이

귀신들이 스스로 자신을 "군대"라고 밝혔는데, 귀신의 세력을 나타내는 말입니다. 로마 군대는 약 6,000명의 군인으로 구성되었습니다(막 5:13, 돼지 수와 비교). 그러므로 '군대'라는 말은 큰 수를 나타내며("우리가 많음이니이다"), 그 사람의 초자연적인 힘을 설명하고, 예수님이 더 강한 분이라는 사실을 증폭시킵니다(막 1:7; 3:27). 게다가 돼지들은 유대인들에게는 부정한 동물이었고, 율법은 유대인들이 돼지 치는 일을 금했습니다(레 11:7; 신 14:8). 돼지 떼가 많다는 말은 이 사건이 이방 지역에서 벌어졌다는 것을 뜻합니다(막 5:11). 더러운 영들이 예수님께 자신들을 그 지방에서 내보내지 말아 달라고 간청했고(막 5:10), 부정한 동물들에게 보내 달라고 간청했습니다(막 5:12).

위로 그를 고통과 자해 행위로 점철된 삶에서 구해 내셨습니다. 이를 통해 예수 그리스도의 능력이 삶을 변화시킨다는 힘 있는 진리를 배웁니다.

이 변화에 관해 주목할 것이 몇 가지 있습니다. 첫째, 변화는 급진적이었습니다. 본문은 그 사람이 옷을 입고 정신이 온전하여 앉아 있었다고 기록합니다(14절). 예수님을 만나자 그의 삶이 완전히 달라졌습니다. 180도 달라진 것입니다. 그렇다고 해서 과거의 애씀이나 과거 죄들의 결과가 모두 없어진다는 뜻은 아닙니다. 다만 새로운 마음이 일어나 그가 생각하고 행동하는 방식이 바뀐다는 뜻입니다. 둘째, 그의 내면의 변화는 다른 사람들이 알아볼 수 있도록 겉으로 드러났으므로 도저히 숨길 수 없는 변화였습니다.

이제 네게 사명을 주마

예수님은 그를 구원하실 때, 그의 남은 생을 안정적으로 해 주시는 것 이상으로 더 큰 계획을 가지고 계셨습니다. 무엇보다도 그는 자신이 경험한 하나님의 선하심을 증언하도록 부름 받았습니다. 여기서 우리는 구원의 복음이 또한 파송의 복음임을 배웁니다. 하나님이 우리를 구원하신 까닭은 우리에게 전할 사명과 권세를 부여하시기 위함입니다.

[18]예수께서 배에 오르실 때에 귀신 들렸던 사람이 함께 있기를 간구하였으나 [19]허락하지 아니하시고 그에게 이르시되 집으로 돌아가 주께서 네게 어떻게 큰일을 행하사 너를 불쌍히 여기신 것을 네 가족에게 알리라 하시니 [20]그가 가서 예수께서 자기에게 어떻게 큰일 행하셨는지를 데가볼리에 전파하니 모든 사람이 놀랍게 여기더라(막 5:18~20)

그리스도를 따르는 이들에게는 하나님이 하신 일을 알지 못하는 사람들에게 전하는 권세가 있습니다. 예수님은 집으로 돌아가서 그에게 어떤 일이 있었는지를 전하라고 말씀하셨습니다. 개인적 증언을 할 권세가 그에게 부여된 것입니다. 하나님은 신학교에서 훈련받은 설교자를 통해서도 사람들이 그리스도를 믿게 하고 그분의 말씀을 선포하시지만, 선교의 대명령은 신학 훈련을 받은 설교자에게 국한된 것이 아닙니다. 선교의 대명령은 모든 그리스도인이 예수님의 복음을 들고 나아가야 한다는 것입니다.

우리에게는 사명이 있습니다. 우리 사명은 가까운 곳을 향할 뿐 아니라 또한 먼 곳을 향한 것이기도 합니다. 예수님은 그에게 집으로 돌아가 구세주께서 하신 일을 그의 가족에게 전하라고 하셨습니다. 그는 예수님의 말씀을 따라 데가볼리 지역의 도시들을 다니며 예수님이 자신에게 하신 일, 즉 귀신에 사로잡혔던 자신을 불쌍히 여기시고 긍휼을 베풀어 자유롭게 해 주신 일을 사람들에게 전했습니다.

students

어떻게 하면 예수님이 우리에게 행하신 일을 지역과 세계에서 나눌 수 있을까요?

알짬 교리 **99**

귀신

귀신들은 천사들이었으나 하나님께 죄를 지음으로써 오늘날 세상에서 악한 일을 계속하는 존재들입니다(욥 1:6; 슥 3:1; 눅 10:18). 귀신의 우두머리인 사탄이 "도적질하고 죽이고 멸망시키고자" 한다고 성경에 기록되었듯이, 귀신들도 하나님을 대적하고 하나님의 일을 파괴하고자 합니다. 귀신들에게도 능력이 있지만, 그 능력은 하나님의 통제하에 있으므로 하나님이 허용하신 범위 안에서만 작용합니다. 종국적으로 모든 귀신은 본래 그들을 위해 지어진 불 못에 던져질 것입니다.

그리스도와의 연결

students

하나님은 죄에서 우리를 구원하시며 선교 사역으로 이끄십니다. 예수님은 죄로 둘러싸였던 우리를 부르셔서, 하나님을 전혀 알지 못하는 사람들 사이에서 하나님을 예배하라고 하십니다. 우리는 용서받으면 구원을 통해 자유롭게 된다는 사실을 압니다. 자유가 예수님의 제자들을 땅끝까지 가게 하여 만백성이 그분을 알고 경외하도록 할 것입니다. 우리가 두려움 없이 선교를 계속해 갈 수 있는 까닭은 악한 영을 포함하여 만물에 대한 주권적인 능력과 권세가 하나님께 있기 때문입니다. 하나님은 우리가 나아가는 것을 막지 않으시고, 도리어 격려하십니다.

YOUR STORY

하나님이 들려주시는 이야기는 오늘을 사는 나와 늘 연결되어 있습니다. 아래 질문에 답하면서 성경 이야기가 내 이야기와 어떻게 연결되는지 생각해 봅시다.

▶ 예수님을 믿는 사람들의 삶에서 급진적인 변화가 일어나는 것을 본 적이 있나요?
   이 질문에 관한 대답은 다양할 것입니다.

▶ 예수님을 믿고 따르게 된 후에 삶에 특별한 변화가 있었나요?
   이 질문에 관한 대답은 다양할 것입니다.

▶ 오늘날에도 악한 세력들을 제압하는 예수님의 힘과 권세가 변함없이 작동함을 아는 것
   이 얼마나 큰 격려가 될까요?
   이 질문에 관한 대답은 다양할 것입니다.

▶ 이 이야기에서 개인적으로 어떤 도전을 받았나요?
   이 질문에 관한 대답은 다양할 것입니다.

하나님의 이야기
하나님이 그분의 아들
예수 그리스도를 통해
우리를 구속해 주신 이야기

우리의 이야기
우리의 이야기가
하나님의 이야기와
만나는 곳

5~10분

생 각

그리스도인이라도 의구심을 갖습니다. "오늘날에도 귀신 들리는 현상이 일어난다면, 나도 귀신 들릴 수 있는 거야?" 그리스도 안에서 자기 정체성을 발견하는 사람은 하나님의 가족으로 입양되어 약속된 성령으로 인 치심을 받은 것입니다(엡 1:3~14). 그러므로 요한은 기록했습니다. "자녀들아 너희는 하나님께 속하였고 또 그들을 이기었나니 이는 너희 안에 계신 이가 세상에 있는 자보다 크심이라"(요일 4:4). 악한 영들은 자기들보다 더 큰 영이신 그리스도의 영에 이미 사로잡힌 사람을 영원히 사로잡을 수 없습니다.

● 예수님을 따르는 영적 여정에서 부딪히게 되는 악마의 꾀와 맞서 싸우는 사람은 무엇으로부터 도움을 얻을 수 있을까요?
　이 질문에 관한 대답은 다양할 것입니다.

● 신자들 안에 내주하시는 하나님의 영이 예수님을 믿는 사람들을 보호하신다는 사실로 위로를 얻은 적이 있나요?
　이 질문에 관한 대답은 다양할 것입니다.

마 음

예수님은 죄가 사람에게 끼치는 해로운 영향을 보고 불쌍히 여기셨습니다(마 9:36). 예수님이 죄의 굴레에 매인 사람들을 보고 불쌍히 여기셨다면, 오늘날 그와 같은 상황에 처한 사람들을 보고 우리는 어떻게 해야 할까요? 그리스도의 영을 받은 우리는 가족과 친구와 동료를 괴롭히는 죄로 인해 비통한 심정으로 마음을 찢어야 하지 않을까요? 우리 동네와 세상을 온통 유린하는 죄에 맞서 분연히 일어나야 하지 않을까요? 예수님이 마음을 찢으신 일에 우리가 마음을 찢지 못한다면, 그것은 심각한 문제입니다. 죄에 대하여 마음을 찢지 못하는 부분이 있다면, 그 부분은 그리스도와 일치하는 마음이 아닙니다.

● 최근에 죄의 결과를 보고 마음을 찢은 적이 있다면 언제였고, 어떻게 반응했나요?
　이 질문에 관한 대답은 다양할 것입니다.

● 자기 죄에 무감각하고 죄를 끊지도 못한다면, 어떻게 해야 할까요?
　이 질문에 관한 대답은 다양할 것입니다.

행 동

하나님이 어디에 살게 하셨건, 그곳에도 귀신 들린 사람 같은 이들이 있기 마련입니다. 그들은 남녀를 불문하고, 하나님의 피조물이지만, 죄의 힘과 지배 아래서 고통받고 있습니다. 그들은 절망적인 상태에서 오로지 복음만이 줄 수 있는 치료의 힘을 갈구합니다. 귀신 들린 사람은 죄가 야기하는 해로운 결과가 무엇인지를 구체적으로 보여 주며, 우리에게 이런 질문을 던집니다. "복음을 경험한 우리가 어떻게 하면 사회에서 방치된 사람들에게도 복음을 전할 수 있을까요?

다음 모임까지
예레미야 49~51장;
시편 137편을
읽어 보세요.

● 다루기 힘들다는 딱지가 붙은 사람을 대할 때, 머뭇거리게 되는 이유는 무엇일까요?
　이 질문에 관한 대답은 다양할 것입니다.

● 예수님의 사역은 그런 경향에 대해 어떤 도전을 주나요?
　이 질문에 관한 대답은 다양할 것입니다.

천사와 귀신에 관한 질의 응답

천사가 무엇인가요?

천사는 영적 존재로 창조된 피조물로서, 성경에서는 "하나님의 아들들," "거룩한 자들," "영들," "정사들," "권세들" 등 여러 가지 이름으로 불립니다. 천사들 사이에는 계급이 있는데, 예를 들어 유다서 9절과 요한계시록 12장 7~8절에서 미가엘은 천사장으로 등장합니다.

왜 하나님은 천사를 창조하셨나요?

하나님이 천사를 창조하신 이유를 몇 가지만 살펴보면 다음과 같습니다. 천사는 우리를 향하신 하나님의 위대한 사랑과 계획을 보여 줍니다. 천사는 보이지 않는 세계가 분명히 존재한다는 사실을 우리에게 알려 줍니다. 천사는 우리 인간이 해야 할 역할을 예를 들어 보여 줍니다. 천사는 하나님이 계획을 행하실 때 도구로 사용되기도 합니다. 그리고 천사는 하나님을 영광스럽게 합니다.

귀신은 무엇인가요?

귀신은 하나님을 대적하는 죄를 짓고 사탄을 따르게 된 악한 천사입니다. 그들의 주된 목적은 하나님이 하시는 모든 일을 방해하고 사람들을 눈멀게 하여 그리스도 안에서 하나님의 영광을 볼 수 없게 하는 것입니다. 귀신은 하나님의 통제를 받기 때문에 자기들 마음대로 하는 데에 한계가 있습니다.

성경은 우리 각자가 수호천사를 가지고 있다고 가르치나요?

하나님이 하나 이상의 천사들을 그분의 백성을 위해 일하도록 파송하신다는 사실을 우리는 다니엘서나 베드로의 사역에 대한 예를 보고 알 수 있습니다(단 10:13; 행 12:7). 그런데 이런 사례는 천사들이 하나님의 사자로서 하나님의 선교를 성취하도록 파송되어 일반적인 업무와 사명을 수행한다는 사실에 불과합니다. 사람마다 특정 수호천사가 있다는 개념은 성경이 지지하지 않는 개념입니다.

그리스도인도 귀신에 들릴 수 있나요?

하나님의 살아 계신 영이 내주하는 진짜 그리스도인은 귀신에 사로잡힐 수가 없습니다(요일 4:4). 그러나 성경은 귀신에 들리는 것과 귀신에게 억압받는 것의 차이를 분명하게 설명하고 있습니다. 그리스도인은 하나님께 순종하지 못할 정도로 귀신에 사로잡힐 수는 없으나, 그럼에도 불구하고 우리는 여전히 귀신에 저항할 필요가 있으며(약 4:7), 그것은 "대적 마귀가 우는 사자와 같이 두루 다니며 삼킬 자를 찾고" 있기 때문입니다(벧전 5:8). 때로 그리스도인은 악마에게 억압받곤 합니다(눅 13:16). 즉 하나님에 대한 우리의 신앙에 도전하는 영적 공격이 집중되는 시기가 있다는 뜻입니다. 그런 현상은 대개 하나님의 말씀으로 계시된 진리에 대한 우리의 믿음이 부족한 시기에 발생합니다. 이런 영적 전쟁에 대항하는 열쇠는 적의 거짓말을 하나님의 진리로 드러내고 그 진리를 믿는 것입니다.

사람들은 성경에서 귀신 이야기가 나오면 왜 두려워할까요?

성경에서 천사들은 대개 "두려워하지 말라"거나 "무서워하지 말라" 하고 말문을 열기 때문에 사람들이 처음에는 대개 천사들을 무서워하는 것을 알 수 있습니다. 천사를 무서워하는 데에는 여러 이유가 있습니다. 무엇보다 천사는 인간을 능가하는 능력과 힘이 있습니다(벧후 2:11; 마 28:2). 그런 천사의 힘이나 능력 내지는 귀신 들린 사람의 힘과 능력을 보고 무서워하는 것은 당연합니다. 이유가 무엇이건, 오늘날의 문화에서 천사를 보는 일반적 시각은 성경에 나오는 것과 상당한 차이가 있습니다. 어떤 문화권에서는 구름 위에 떠 있는 똥똥하고 귀여운 아기로 천사를 묘사하지만, 성경은 천사의 몸을 번개에 빗대거나 그들의 힘을 어떤 인간도 달할 수 없는 것으로 묘사합니다(왕하 19:32~37).

12

두렵니? 못 믿겠니?
난 누구도 놓지 않아

요 약

이 과에서는 예수님이 아픈 여자를 치료하고, 야이로의 딸을 일
으키심으로써 아픔과 수치와 병을 이기시는 하나님의 힘을 구
체적으로 드러내셨음을 배울 것입니다. 우리는 이 이야기를 통
해 하나님의 능력을 배웁니다.

성 경

마가복음 5장 21~43절

HIS STORY

포 인 트	예수님의 능력은 부정함의 수치와 죽음의 저주를 이긴다.
등 장 인 물	예수님(하나님의 아들, 성자 하나님)
메시지 좌표	이 과에서는 거의 같은 시기에 있었던 두 가지 기적을 살펴보겠습니다. 예수님이 두 사람을 치료하신 방법에서 기적을 행하시는 예수님에 관해 특별한 사실을 알 수 있습니다. 예수님은 아픔과 수치심과 심지어 죽음조차도 이기는 능력을 가지고 계시다는 사실입니다.

도 입

성경은 하나님이 전능하시다고 묘사합니다. 하나님의 능력을 압도하거나 대적할 만한 것은 아무것도 없습니다.

눈물의 선지자로 알려진 예레미야는 하늘을 올려다보며 하나님의 능력에 관해 기록했습니다. "슬프도소이다 주 여호와여 주께서 큰 능력과 펴신 팔로 천지를 지으셨사오니 주에게는 할 수 없는 일이 없으시니이다"(렘 32:17)!

창세기부터 요한계시록까지 하나님의 말씀을 통해 전능하신 하나님이 세상을 창조하시고, 홍해를 가르시고, 하늘에서 만나를 내리시고, 죽은 사람을 살리시고, 예수님이 되어 물 위를 걸으신 것을 우리는 알고 있습니다.

그런데 슬프게도, 하나님의 기적들에 너무 익숙해져서 복음서에서 예수님을 보고도 "우와!" 하고 감탄할 줄 모르는 이들이 많습니다. 예수님이 기적을 일으키셨다는 이야기를 읽고도 감동할 줄 모르고 무덤덤합니다.

우리에게 필요한 것은 하나님의 능력에 압도당하는 감각을 되찾는 일입니다. 하나님이 어떤 분이신지 그 실체와 마주칠 때, 우리는 놀라움과 경외감을 느낄 수 있습니다. 하나님께는 어떤 것도 너무 과분하지 않다는 것을 다시금 이해할 수 있어야 합니다.

▶ 하나님과 하나님의 능력을 더 이상 경외하지 않을 때, 하나님과의 관계가 어떻게 될까요? 놀라움과 경외심이 하나님과의 관계에서 왜 중요할까요?

절박함이 절박함과 부딪힐 때

students

이야기 속에 이야기가 들어 있는 본문입니다. 예수님이 길을 가시다가 딸이 죽을 지경이 된 한 남자를 도와주시는 것으로 이야기가 시작됩니다. 그런데 곧 다른 사람이 등장합니다.

students

²¹예수께서 배를 타시고 다시 맞은편으로 건너가시니 큰 무리가 그에게로 모이거늘 이에 바닷가에 계시더니 ²²회당장 중의 하나인 야이로라 하는 이가 와서 예수를 보고 발 아래 엎드리어 ²³간곡히 구하여 이르되 내 어린 딸이 죽게 되었사오니 오셔서 그 위에 손을 얹으사 그로 구원을 받아 살게 하소서 하거늘 ²⁴이에 그와 함께 가실새 큰 무리가 따라가며 에

도입 선택

순수한 다이아몬드는 투명합니다. 맑고 캐럿이 클수록 가격이 비쌉니다. 그런데 대부분 다이아몬드는 불완전하게 형성되어 순전하지 않습니다. 다이아몬드의 불완전함을 내포물(inclusions)이라고 합니다. 내포물의 정도에 따라 등급이 정해집니다. 다이아몬드를 확대해봤을 때, 가시적인 흠집을 찾지 못할 때 흠집이 없는 순전한 다이아몬드라고 하는데, 흠집이 눈에 잘 띌 경우에는 낮은 등급을 주고 내포물이 명백하다고 표기합니다. 다이아몬드 표면의 흠집과 긁힘은 연마하여 제거할 수 있으며, 돌의 윗부분 바로 아래쪽에 생긴 균열처럼 다이아몬드의 가치에 영향을 미치지 않습니다.

• 다이아몬드에 관한 흥미로운 사실이 있는지 찾아보세요. 이러한 새로운 정보를 통해 다이아몬드에 관해 무엇을 알게 되었나요?

모든 다이아몬드가 불완전한 것처럼 모든 인간은 불완전합니다. 우리가 가진 흠집 가운데 어떤 것은 유독 눈에 잘 띕니다. 어떤 흠집은 마음속을 가까이 들여다보아야만 비로소 보입니다. 예수님은 우리의 겉에 난 흠집만을 '연마'하러 오신 것이 아니라, 흠집들로부터 자유롭게 해방시키고 용서하기 위해서 오셨습니다. 예수님의 능력은 실수로 인한 수치심을 이기게 하십니다. 예수님의 순전하심은 우리 안의 불순함을 말끔히 씻어 주시고, 우리를 그분의 의로우심으로 가득 채우십니다.

연 대 표

아픔과 죽음을 이기는 권세
POWER OVER SICKNESS AND DEATH
예수님께 아픔과 죽음에 대한 권세가 있음을 보여 주시다.

일으켜진 나사로
THE RAISING OF LAZARUS
예수님이 죽은 자의 무덤에서 나사로를 일으키시다.

장례를 위한 기름 부음
ANOINTED FOR BURIAL
마리아가 예수님의 머리에 기름을 붓다.

예루살렘으로 들어가신 예수님
JESUS ENTERS JERUSALEM
예수님이 나귀를 타고 예루살렘으로 들어가시다.

최후의 만찬
THE LAST SUPPER
예수님이 새 언약을 세우시다.

체포되신 예수님
JESUS IS ARRESTED
예수님이 고난의 잔을 받아들이시다.

워싸 밀더라 25열두 해를 혈루증으로 앓아 온 한 여자가 있어 26많은 의사에게 많은 괴로움을 받았고 가진 것도 다 허비하였으되 아무 효험이 없고 도리어 더 중하여졌던 차에 27예수의 소문을 듣고 무리 가운데 끼어 뒤로 와서 그의 옷에 손을 대니 28이는 내가 그의 옷에만 손을 대어도 구원을 받으리라 생각함일러라 29이에 그의 혈루 근원이 곧 마르매 병이 나은 줄을 몸에 깨달으니라 (막 5:21~29)

이야기 속의 등장인물이 매우 절박한 상황에 있음을 나타내 주는 표현을 찾아 열거해 보십시오. 그밖에 어떤 행동들이 절박함을 드러낼까요?

곤경에 처한 첫 번째 인물부터 살펴보면, 그는 딸을 치유해 달라고 예수님께 절박하게 매달린 사람입니다. 절박한 기분이 어떤 것인지를 알려면, 의사 선생님에게서 세상이 뒤집힐 것 같은 진단을 받아 보면 금세 알 것입니다. "암에 걸리셨습니다!" "어머님이 사실 날이 얼마 남지 않았습니다." "죄송합니다. 이제 우리가 따님에게 해 줄 수 있는 것이라고는 편안하게 해 드리는 것밖에 없습니다." 어떤 경우든 그런 소식을 듣자마자 세상이 무너질 것 같은 절망감에 빠질 것입니다.

야이로가 절박했던 이유는 하나님이 도와주시지 않으면 딸을 잃게 되리라는 것을 알았기 때문입니다. 예수님께 손을 댄 여자도 절박하기는 마찬가지였습니다. 12년 동안 그녀를 괴롭힌 질병 때문에 여러모로 고생했습니다. 육체의 질병으로 고생했고, 많은 의사를 찾아다니느라 경제적으로도 고생했으며 수치스러운 질병 탓에 사회적으로도 고생했습니다. 야이로처럼 그녀도 예수님이 아니면 아무런 소망이 없음을 알았습니다.

야이로와 혈루증을 앓은 여인은 누구를 찾아가야 할지를 알았습니다. 그들은 오로지 예수님께만 소망을 두었습니다. 이것이야말로 절박감이 밀려올 때, 해야 할 첫 번째 진리일 것입니다. 즉 예수님께만 눈을 고정하는 것입니다. 두 사람 중의 어느 누구도 자신에게 소망이 있다고 여기지 않았습니다. 그들은 자신감이 충만한 사람들에게 신유의 기적이 일어난다는 가르침을 받아들이지 않았습니다. 야이로와 여인은 자신들을 믿지 않았고, 구세주를 믿었습니다. 모두 자기 믿음을 바른 곳에 둔 것입니다.

네 수치를 없애 주마

이야기에 등장하는 여자는 치료할 것이 혈루증만이 아니었습니다. 그녀는 지속적으로 사회적인 억압을 당했습니다. 질병 때문에 율법적으로 '부정하다'고 여겨졌습니다. 그리하여 그녀는 질병만 고치려고 한 것이 아니라 그로 인한 오명도 씻기를 소망했습니다. 그녀가 자신의 몸에 댄 것을 아신 예수님이 어떻게 하셨는지 살펴봅시다.

³⁰예수께서 그 능력이 자기에게서 나간 줄을 곧 스스로 아시고 무리 가운데서 돌이켜 말씀하시되 누가 내 옷에 손을 대었느냐 하시니 ³¹제자들이 여짜오되 무리가 에워싸 미는 것을 보시며 누가 내게 손을 대었느냐 물으시나이까 하되 ³²예수께서 이 일 행한 여자를 보려고 둘러보시니 ³³여자가 자기에게 이루어진 일을 알고 두려워하여 떨며 와서 그 앞에 엎드려 모든 사실을 여쭈니 ³⁴예수께서 이르시되 딸아 네 믿음이 너를 구원하였으니 평안히 가라 네 병에서 놓여 건강할지어다 (막 5:30~34)

질병 때문에 여자는 조롱과 수치 속에 살았습니다. 그런 처지는 시민으로서의 권리에도 영향을 끼쳤습니다. 그 장면을 상상해 보십시오. 병에 걸려 부정하다는 취급을 받던 여자가 마침내 흠 없이 순전하고 정결하신 메시아를 발견하고 그분에게 다가가고자 했습니다. 율법에 의하면 그녀는 부정했으므로 예수님께 다가갈 수 없는 처지였습니다. 그러나 그녀는 예수님이 치료하신다는 이야기를 들었고, 치료라면 예수님이 하시는 일인 것입니다.

여자의 이야기를 바탕으로 영적 상태를 진단할 수 있습니다. 죄 때문에 우리는 모두 하나님과 멀어지고 부정하게 되었습니다. 죄 때문에 하나님께 다가가기를 꺼립니다.

그러나 그리스도인이라면 그러지 말아야 합니다. 예수님 덕분에 하나님 앞에 자신 있게 설 수 있습니다. 더 이상 수치심에 휘둘릴 필요가 없습니다. 수치심이 우리를 좌우할 수 없습니다. 수치심은 우리를 어둠 속으로 몰아가 빛을 볼 수 없게 합니다.

예수님은 십자가에서 죽으심으로써 우리를 의롭게 만드셔서 예수님 앞에 흠 없이 거룩하게 서게 하셨습니다 (고후 5:21; 골 1:22). 예수님의 정하심이 우리의 부정함을 이기셨습니다. 예수님의 죽음과 부활에 대한 신앙을 통해 우리는 수치심과 죄책감에서 벗어나 하나님 앞에서 거룩하다고 선언됩니다.

그렇습니다. 육신을 가지고 있는 동안에 고군분투하는 까닭은 하나님이 우리를 그 아들과 더욱 비슷하게 빚어내려고 계속 일하시기 때문입니다. 그러나 분투하는 동안에도 우리는 실패하는 죄인이 아니며, 하나님이 용서하고 입양하신 아들과 딸로서 변화되는 과정에 있는 것입니다.

알짬 교리 **99**

죄책과 수치

죄책이란 어떤 사람의 죄가 드러나 죄인이라는 객관적인 신분을 얻은 것과, 이에 따라 형벌을 얻은 것까지를 말합니다(마 5:21~22; 약 2:10). 수치란 죄를 지음으로써 느끼게 되는 고통의 감정입니다. 성경은 인간이 객관적인 의미에서 죄책이 있으며, 주관적으로는 수치의 무게를 느낀다고 가르칩니다.

아이야, 일어나라

이제 야이로의 이야기로 넘어가겠습니다. 야이로는 예수님께 죽어 가는 딸을 살려 달라고 간청했고, 예수님은 그러기로 약속하셨습니다. 야이로는 무리 가운데서 위대하신 치료자가 언제쯤이나 자기 집에 오실지 이제나저제나 기다리고 있었습니다. 야이로가 얼마나 걱정하고 있었을지 상상이 되나요? 야이로는 초조하게 예수님을 바라보면서 한 발은 예수님께 다른 한 발은 사랑하는 딸에게 두고는 이러지도 저러지도 못한 채 기다리고 있었을 것입니다. 그러고 있을 때, 끔찍한 소식을 접했습니다.

[35]아직 예수께서 말씀하실 때에 회당장의 집에서 사람들이 와서 회당장에게 이르되 당신의 딸이 죽었나이다 어찌하여 선생을 더 괴롭게 하나이까 [36]예수께서 그 하는 말을 곁에서 들으시고 회당장에게 이르시되 두려워하지 말고 믿기만 하라 하시고 [37]베드로와 야고보와 야고보의 형제 요한 외에 아무도 따라옴을 허락하지 아니하시고 [38]회당장의 집에 함께 가사 떠드는 것과 사람들이 울며 심히 통곡함을 보시고 [39]들어가서 그들에게 이르시되 너희가 어찌하여 떠들며 우느냐 이 아이가 죽은 것이 아니라 잔다 하시니 [40]그들이 비웃더라

예수께서 그들을 다 내보내신 후에 아이의 부모와 또 자기와 함께 한 자들을 데리시고 아이 있는 곳에 들어가사 ⁴¹그 아이의 손을 잡고 이르시되 달리다굼 하시니 번역하면 곧 내가 네게 말하노니 소녀야 일어나라 하심이라 ⁴²소녀가 곧 일어나서 걸으니 나이가 열두 살이라 사람들이 곧 크게 놀라고 놀라거늘 ⁴³예수께서 이 일을 아무도 알지 못하게 하라고 그들을 많이 경계하시고 이에 소녀에게 먹을 것을 주라 하시니라 (막 5:35~43)

어처구니없는 일을 당하고 나서 하나님의 손길을 기다려 본 적이 있습니까? 이처럼 염려하는 아버지에 관해 생각해 본 적이 있습니까? 어쩌면 듣고 싶지 않은 절망적인 소식을 들었거나, 야이로처럼 사랑하는 사람을 잃었을지도 모릅니다. 우리가 믿는 그분은 죽음을 물리치셨으므로, 우리는 어떤 상황에서도 죽음의 저주를 두려워할 필요가 없습니다. 우리가 예수님을 왜 신뢰할 수 있고, 왜 신뢰해야 하는지 그 이유를 몇 가지 생각해 볼 수 있습니다.

● students

첫째, 예수님의 능력을 신뢰해야 합니다. 죽음은 예수님의 능력에 대적할 수 없습니다. 죽음은 결정권이 없습니다. 임종을 앞둔 사람을 위해 예수님의 능력 외에 어떤 다른 것을 주님께 구해야 할까요? 우리가 구해야 할 다른 것이 있을까요? 없습니다. 우리가 하나님의 얼굴을 바라는 까닭은 하나님의 주권적 능력이 치유해 주실 것을 확신하기 때문입니다.

둘째, 예수님의 임재를 신뢰해야 합니다. 야이로와 함께하시면서 예수님은 우리가 어떤 상황을 맞이하건 결코 버려두지 않으신다는 약속을 구체적으로 보여 주셨습니다 (수 1:5). 오늘 내가 어떤 상황에 처해 있건, 나와 함께하신다는 예수님의 약속을 믿음으로 굳게 잡아야 합니다.

셋째, 예수님의 연민을 신뢰해야 합니다. 예수님은 긍휼히 여기시는 마음으로 살아가셨고, 그분보다 더 큰 긍휼을 보일 수 있는 분은 없습니다. 예수님은 우리의 연약함을 불쌍히 여기셨습니다 (히 4:15). 예수님은 야이로가 어떤 기분인지 정확히 아셨습니다. 그런데 그처럼 자비로운 분이라면, 대체 왜 아이가 죽음 직전에 이르기까지 방치하셨을까요? 무엇 때문에 그 여자를 12년 동안이나 몹쓸 병에 걸린 채 살게 하셨을까요? 그 시간을 좀 단축해 주셨어야 하지 않을까요? 야이로는 속으로 이렇게 생각했을 것입니다. "저 여자는 어차피 병을 계속 앓을 텐데…. 예수님, 내 딸부터 살리신 다음에 저 여자를 돌보시면 안 될까요?"

그러나 예수님이 기다리신 신령한 이유가 있습니다. 예수님은 야이로가 예수님만 온전히 의지하는 순간까지 가야 한다는 것을 아셨습니다. 하나님은 우리 삶에 자주 어려움을 주셔서 하나님이야말로 우리가 가진 전부이심을 스스로 깨닫게 이끄십니다.

그리스도와의 연결

우리의 전능하신 하나님은 우리가 보고 맛보고 만지고 냄새 맡을 수 있는 모든 것을 창조하셨습니다. 하나님은 그 아들 예수님과, 예수님이 지상에서 행하신 많은 기적을 통해 능력을 입증하셨습니다. 이 기적은 하나님의 능력이 우리의 육체적 영역을 넘어섬을 깨닫게 합니다. 예수님은 혈루증으로 고생해 온 여자를 말씀으로 치유해 주셨습니다(막 5:34).

하나님의 능력은 육체적 영역뿐 아니라 영적 영역도 넘어서는 것을 알아야 합니다. 혈루증을 앓던 여자의 부정함은 예수님의 정결하심으로 덮어졌습니다. 야이로의 가정에서 예수님은 죽음의 저주를 생명으로 바꾸셨습니다. 그리스도께서는 우리에게도 이 같은 일을 하십니다. 우리의 수치심을 씻어 주시고, 죄책감을 거두어 가시며, 우리를 해방하심으로써 길을 잃고 죽어 가는 세상을 향해 그리스도의 부요함을 선포하게 하십니다.

하나님이 이러하실진대, 삶에서 맞이할 다음 도전에 어떻게 대응해야 하겠습니까? 우리의 대응은 하나님을 신뢰하는 것이어야 할 것입니다.

YOUR STORY

하나님이 들려주시는 이야기는 오늘을 사는 나와 늘 연결되어 있습니다. 아래 질문에 답하면서 성경 이야기가 내 이야기와 어떻게 연결되는지 생각해 봅시다.

▶ 복음은 수치심에 관한 관점을 어떻게 바꾸어 주나요? 예수님의 십자가 공로가 수치를 어떻게 씻어 줄까요?
  이 질문에 관한 대답은 다양할 것입니다.

▶ 때로 하나님이 일하시기까지 기다리는 일이 왜 그렇게 어려울까요? 이 이야기가 우리 삶에 개입하시는 하나님의 때에 관한 마음을 어떻게 드러내 주나요?
  이 질문에 관한 대답은 다양할 것입니다.

▶ 이 이야기는 살면서 질병이나 죽음 같은 비극에 직면하기 마련인 우리를 어떻게 격려해 주나요?
  이 질문에 관한 대답은 다양할 것입니다.

▶ 이 이야기는 우리를 향한 예수님의 사랑과 특성에 관해 무엇을 알려 주나요?
  이 질문에 관한 대답은 다양할 것입니다.

하나님의 이야기
하나님이 그분의 아들
예수 그리스도를 통해
우리를 구속해 주신 이야기

우리의 이야기
우리의 이야기가
하나님의 이야기와
만나는 곳

YOUR MISSION

생 각

혈루증을 앓아 온 여자의 이야기는 그리스도 없이는 누구도 곤경에 처한다는 사실을 일깨워 줍니다. 그녀처럼 율법적으로나 의례적으로 부정하지는 않다고 해도 우리가 정결한 것은 아닙니다. 아담과 하와가 에덴동산에서 죄를 지은 결과로 세상이 사망과 질병을 앓게 되었습니다. 원죄가 낳은 현상 가운데 하나가 아픔과 질병입니다. 이는 개개인의 죄가 우리가 앓는 모든 질병의 직접적인 원인이라는 뜻은 아닙니다. 다만 질병은 우리가 사는 세상이 타락했고 죄로 물들었음을 보여 주는 현상입니다. 질병은 불결하고 아프고 영적으로 죽은 상태를 예시함으로써 우리가 그리스도를 떠나 살면 어떻게 될지를 생생하게 보여 줍니다.

● 여자의 육체적 고난은 죄인의 영적 고난과 어떤 면에서 닮았나요?
  이 질문에 관한 대답은 다양할 것입니다.

● 이 이야기에 등장하는 두 인물과 비슷한 부분이 있다면 무엇인가요?
  이 질문에 관한 대답은 다양할 것입니다.

마 음

집요한 신앙을 가졌던 두 인물에게서 결연한 의지를 볼 수 있습니다. 그뿐만 아니라, 그들의 믿음이 절박했고 비타협적이었음을 알 수 있습니다. 여자의 이야기를 통해 우리가 알 수 있는 것은 그녀가 가능한 모든 선택 사항을 탁상 위에 놓고, 이 의사를 택할까 아니면 저 방법이 나을까, 아니면 이쪽으로 갈까 하다가 그냥 예수님으로 정하자는 식으로 안일하게 선택한 것이 아니라는 것입니다. 그녀도 야이로도 예수님을 여러 선택 사항 중의 하나로 여기지 않았습니다. 그들은 마지막 밧줄을 붙잡는 심정으로 예수님에게서 유일한 소망을 봤습니다.

● 어려운 시기를 통과하면서 신앙에 집중하는 것이 중요한 이유는 무엇일까요?
  신앙과 소망은 서로 깊은 연관이 있습니다. 우리가 신앙에 집요한 까닭은 궁극적으로 하나님은 하나님의 영광과 우리의 안녕을 위해 일하신다는 소망이 있기 때문입니다. 하나님의 시간이 우리의 시간과 다르다고 해서 하나님의 선하심과 특성에 대한 신앙이 달라질 필요는 없습니다.

● 그리스도의 도움을 구하는 신앙이 절박할 필요가 있는 까닭은 무엇일까요?
  예수님이 위로와 도움의 근원이심을 진실로 믿는 사람들은 삶의 모든 사안에 관해 절박한 심정으로 예수님께 구할 것이기 때문입니다.

행 동

그리스도 안에서 누리는 지위를 진정으로 이해한다면, 그리스도를 열정적으로 선포하게 될 것입니다. 하나님은 우리를 부르셔서 수치심을 거두어 가시고, 우리를 하나님 앞에서 거룩하고 순전하게 만드시는 구세주 예수님을 선포하게 하십니다. 하나님과 화해하고, 하나님 앞에서 바로 설 수 있게 된 것입니다! 길을 잃은 이 세상의 실상이 그리스도의 선교에 동참하는 계기가 되기를 바랍니다.

다음 모임까지
예레미야 애가 1~5장을
읽어 보세요.

● 그리스도인은 왜 일시적 고통과 영원한 고통 모두를 덜어 주는 데 주력해야 할까요?
  이 질문에 관한 대답은 다양할 것입니다.

● 한 가지 고통에만 주목하고 다른 고통을 외면하는 것이 왜 위험할까요?
  이 질문에 관한 대답은 다양할 것입니다.

13

다시 사는 것을 믿니?

요 약

예수님은 친구 나사로를 죽은 자 가운데서 일으키심을 통해 죽음을 제압하는 능력이 그분께 있음을 드러내셨습니다. 이 기적 이야기는 하나님의 선하심과 주권, 죽음의 저주와 부활의 능력, 그리고 고통당하는 사람들을 향한 그리스도의 긍휼을 드러냅니다. 죽음을 정복하는 능력의 친구 예수님을 신뢰하며 어떠한 환경에서도 예수님을 영화롭게 해야 할 것입니다.

성 경

요한복음 11장 1~7절, 17~44절

HIS STORY

포 인 트	예수님은 죽음을 탄식하며 죽음의 권세를 멸하신다.
등 장 인 물	예수님(하나님의 아들, 성자 하나님)
메시지 좌표	이 과에서 우리는 예수님의 부활 다음으로 놀라운 기적을 보게 될 것입니다. 예수님은 친구 나사로를 죽은 자 가운데서 일으키심으로써 죽음을 제압하는 능력을 입증하셨습니다. 이 기적이 예수님의 특성과 정체성에 관해 무엇을 드러내는지 자세히 살펴보겠습니다.

도 입 〕 5~10분

도입 선택

누군가를 잃고 힘들어 하는 것, 사랑하는 사람을 잃고 슬퍼하는 것은 당연합니다. 삶의 어려운 상황을 맞이할 때 비통한 것은 자연스러운 일입니다. 학생들이 둘씩 짝지어 다음 내용을 토론하게 하십시오.

- 누군가를 잃고 슬퍼해 본 적이 있나요?
- 그때 하나님과의 관계가 어떤 위로를 주었나요? 그 고통 속에서 하나님의 임재를 느끼려고 노력했나요?

전체 모임에서 사람을 잃어 본 경험을 나누게 하십시오. 이어서 예수님도 친구를 잃고 슬퍼하셨다는 것을 알려 주십시오. 예수님은 친구 나사로의 죽음과 그 죽음이 다른 친구들에게 가져다준 슬픔을 보고 사람들 앞에서 울기도 하셨습니다. 비통하셨습니다. 그러나 동시에 슬퍼하는 우리에게 소망도 주셨습니다. 그것은 예수님을 구세주로 믿는 사람들은 누구나, 비록 죽을지라도, 예수님과 영원히 함께한다는 소망입니다.

- 예수님이 나의 슬픔을 아시고, 죽음을 물리치셨다는 사실이 어떤 위로가 되나요?

사람들이 보기에는, 죽으면 모든 것이 끝이 납니다. 죽음 앞에서는 그것을 비껴갈 다른 길이 없고, 그것을 막을 힘도 없습니다. 부정적인 마음, 외면하고 싶은 마음이 들게 하는 죽음이 가족이나 친구에게 찾아오게 되면 모든 것을 압도당하고 맙니다. 죽음은 불쾌하면서도 저항할 수 없는 힘이 있는 것만 같아서 사람들은 그것에 대해 말하거나 생각하기를 꺼립니다. 인간은 죽음을 이길 힘이 없기 때문에 죽임을 당하면 모든 것이 끝이 납니다.

그러나 예수님을 따르는 우리는 그렇지 않다는 것을 압니다. 하나님의 말씀으로 우리는 예수님이 죽음을 포함한 모든 것을 제압하는 힘을 가지고 계심을 압니다. 예수님은 나사로를 살리시는 기적을 통해 죽음을 제압하는 능력을 여실히 증명하셨고, 가장 위대한 기적이신 예수님 자신의 부활을 예고하셨습니다.

지금까지 우리는 예수님이 행하신 기적들을 살펴보았습니다. 예수님의 기적들은 언제나 그분이 사람들에게 알리시고자 하는 진리, 즉 예수님이야말로 하나님 나라가 이 땅에 임하게 할 전능하신 분이라는 진리를 가리킵니다. 예수님의 기적을 통해 우리는 일상 가운데 찾아오시는 비범한 능력의 하나님을 체험합니다.

▶ 신약성경에 나오는 기적 가운데 가장 좋아하는 것은 무엇이며, 그것을 좋아하는 이유는 무엇인가요?

내 친구, 나사로야 기다려라

우리가 살펴볼 마지막 기적은 요한복음 11장에서 시작하는 나사로 이야기입니다. 그 내용을 살펴봅시다.

¹어떤 병자가 있으니 이는 마리아와 그 자매 마르다의 마을 베다니에 사는 나사로라 ²이 마리아는 향유를 주께 붓고 머리털로 주의 발을 닦던 자요 병든 나사로는 그의 오라버니더라 ³이에 그 누이들이 예수께 사람을 보내어 이르되 주여 보시옵소서 사랑하시는 자가 병들었나이다 하니 ⁴예수께서 들으시고 이르시되 이 병은 죽을 병이 아니라 하나님의 영광을 위함이요 하나님의 아들이 이로 말미암아 영광을 받게 하려 함이라 하시더라 ⁵예수께서 본래 마르다와 그 동생과 나사로를 사랑하시더니 ⁶나사로가 병들었다 함을 들으시고 그 계시던

연 대 표

일으켜진 나사로
THE RAISING OF LAZARUS
예수님이 죽은 자의 무덤에서
나사로를 일으키시다

장례를 위한 기름 부음
ANOINTED FOR BURIAL
마리아가 예수님의 머리에 기름
을 붓다.

**예루살렘으로 들어가신
예수님**
JESUS ENTERS JERUSALEM
예수님이 나귀를 타고 예루살렘
으로 들어가시다.

최후의 만찬
THE LAST SUPPER
예수님이 새 언약을 세우시다.

체포되신 예수님
JESUS IS ARRESTED
예수님이 고난의 잔을 받아들이
시다.

십자가에 못 박히심
THE CRUCIFIXION
예수님이 우리를 위해 대속 제
물이 되시다.

곳에 이틀을 더 유하시고 ⁷그 후에 제자들에게 이르시되 유대로 다시 가자 하시니(요 11:1~7)

아픈 나사로가 결국 죽게 되었습니다. 그때 가족들이 어떤 기분이었을지 헤아리는 것은 그리 어렵지 않습니다. 그들은 나사로가 살아나기를 간절히 원했습니다! 게다가 그들은 나사로를 살릴 수 있는 분을 알고 있었습니다. 오로지 예수님만이 나사로를 살리실 수 있습니다.

마리아와 마르다와 나사로의 가족은 예수님과 친밀했습니다. 예수님은 그들의 집에 머물며 함께 식사도 하셨습니다. 그들은 예수님을 따르는 제자들인 동시에 예수님의 친구들이었습니다. 나사로의 가족은 예수님이 치료받아야 할 사람들을 치료하신 것을 보았으므로, 나사로도 치료해 주시리라 기대했습니다.

아마도 그들은 예수님이 나사로가 아픈 것을 아시면 곧바로 달려와서 치료해 주시기를 기대했을 것입니다! 그러나 예수님은 다른 계획이 있으셨습니다. 그래서 나사로의 소식을 들으시고도, 그 병은 죽을병이 아니라는 말씀만 하실 뿐이었습니다. 심지어 나사로의 소식을 들은 후 이틀이나 그곳에 더 머무셨습니다.

예수님은 어떤 일이 벌어질지 알고 계셨으나, 친구들이 하나님을 더 신뢰할 수 있기를 바라고 그 길을 택하셨습니다. 신뢰는 하나님이 우리 상황을 아시고 우리를 염려하신다는 믿음에서 시작됩니다. 이 기적을 통해 예수님은 우리가 어떤 상황에서도 하나님을 신뢰하기 원하신다는 것을 알려 주십니다.

신뢰란 어떤 사물이나 사람의 성격, 능력, 세력, 또는 진실에 관해 확실하게 의존하는 것입니다. 즉 어떤 사물이나 사람을 믿거나 확신하는 것이라고 정의할 수 있습니다. 마르다와 마리아에게도 신뢰가 필요했습니다.

마리아와 마르다가 오라버니의 죽음에 직면했을 때, 하나님을 향한 완전한 믿음이 그들에게 어떤 도움이 되었을까요? 사랑하는 사람을 잃는다면, 이 이야기가 어떻게 도움이 될까요?

마르다야, 네가 믿느냐?

예수님이 현장에 도착하셨을 때는 나사로가 죽은 지 나흘이나 지난 뒤였습니다.

students

> [17]예수께서 와서 보시니 나사로가 무덤에 있은 지 이미 나흘이라 [18]베다니는 예루살렘에서 가깝기가 한 오 리쯤 되매 [19]많은 유대인이 마르다와 마리아에게 그 오라비의 일로 위문하러 왔더니 [20]마르다는 예수께서 오신다는 말을 듣고 곧 나가 맞이하되 마리아는 집에 앉았더라 [21]마르다가 예수께 여짜오되 주께서 여기 계셨더라면 내 오라버니가 죽지 아니하였겠나이다 [22]그러나 나는 이제라도 주께서 무엇이든지 하나님께 구하시는 것을 하나님이 주실 줄을 아나이다 [23]예수께서 이르시되 네 오라비가 다시 살아나리라 [24]마르다가 이르되 마지막 날 부활 때에는 다시 살아날 줄을 내가 아나이다 [25]예수께서 이르시되 나는 부활이요 생명이니 나를 믿는 자는 죽어도 살겠고 [26]무릇 살아서 나를 믿는 자는 영원히 죽지 아니하리니 이것을 네가 믿느냐 [27]이르되 주여 그러하외다 주는 그리스도시요 세상에 오시는 하나님의 아들이신 줄 내가 믿나이다 (요 11:17~27)

students

마르다와 마리아는 예수님을 뵙고, 누구나 했을 법한 반응을 보였습니다. "주께서 여기 계셨더라면 내 오라버니가 죽지 아니하였겠나이다"(21절). 나사로의 두 자매는 예수님이 원하시는 것은 무엇이든 하실 수 있는 분임을 알고 있었습니다. 생명을 주셨을 뿐만 아니라 연장하실 수 있다고 말입니다.

마르다의 말에서 믿음을 발견할 수 있습니까? 그녀의 고백은 헬라어로 보면 뜻이 명확합니다. "예수님이 여기 계셨더라면 그가 결코 죽지 않았을 것입니다!" 마르다가 예수님을 원망한 것일까요? 그렇다고 볼 수도 있습니다. 어쩌면 마르다의 불평은, 예수님이 제시간에 오셨더라면 자기 오라버니의 병이 아무리 심해도 틀림없이 고치셨을 것이라는 신앙의 표현일 수도 있습니다.

하나님을 신뢰한다면, 하나님이 자녀에게 무엇이 최선일지 알고 계심을 믿어야 합니다. 하나님은 모든 것을 아십니다. 감사하게도 하나님의 지식은 우리 생각이나 행동에 구애받지 않으십니다. 하나님은 우리의 의도도 아시고, 우리가 왜 그렇게 행동하는지도 다 아시며, 그럼에도 불구하고 우리를 염려하고 보살피십니다.

예수님이 마르다에게 하신 말씀은 오늘날 우리에게도 진리입니다. 예수님은 여전히 부활이요 생명이십니다. 예수님이 우리 죄를 대속하기 위해 십자가에서 성취하신 일을 믿을 때, 우리는 영원한 생명을 부여받게 됩니다. 비록 지금여기에서 주님의 응답을 오래오래 기다리고 있는 것처럼 보일지라도, 사실 영원한 생명은 이미 우리에게 주어졌습니다. 주님의 부활하신 생명은 우리 것이기도 합니다. 우리는 "예수님이 생명을 주신다"라고 말하곤 하지만, 본문은 "예수님은 생명이시다"라고 고백할 수도 있어야 한다고 알려 줍니다.

● students 예수님의 지체하시는 모습이 놀라운 이유는 무엇인가요? 마르다의 반응이 그 이유를 어떻게 보여 주나요?

내 친구를 풀어놓아 다니게 하라

사랑하는 사람을 잃었을 때, 일반적 반응은 슬퍼하는 것입니다. 우리는 모두 생의 어떤 시점에서 그런 감정을 체험했거나 체험할 것입니다. 예수님도 슬픈 감정에 면역력이 있으셨던 것은 아닙니다. 그 내용을 살펴보겠습니다.

● students 28이 말을 하고 돌아가서 가만히 그 자매 마리아를 불러 말하되 선생님이 오셔서 너를 부르신다 하니 29마리아가 이 말을 듣고 급히 일어나 예수께 나아가매 30예수는 아직 마을로 들어오지 아니하시고 마르다가 맞이했던 곳에 그대로 계시더라 31마리아와 함께 집에 있어 위로하던 유대인들은 그가 급히 일어나 나가는 것을 보고 곡하러 무덤에 가는 줄로 생각하고 따라가더니 32마리아가 예수 계신 곳에 가서 뵈옵고 그 발 앞에 엎드리어 이르되 주께서 여기 계셨더라면 내 오라버니가 죽지 아니하였겠나이다 하더라 33예수께서 그가 우는 것과 또 함께 온 유대인들이 우는 것을 보시고 심령에 비통히 여기시고 불쌍히 여기사 34이르시되 그를 어디 두었느냐 이르되 주여 와서 보옵소서 하니 35예수께서 눈물을 흘리시더라 36이에 유대인들이 말하되 보라 그를 얼마나 사랑하셨는가 하며 37그중 어떤 이는 말하되 맹인의 눈을 뜨게 한 이 사람이 그 사람은 죽지 않게 할 수 없었더냐 하더라(요 11:28~37)

예수님은 나사로와 나사로의 자매들을 사랑하셨습니다. 예수님은 친구의 죽음을 슬퍼하셨을 뿐만 아니라 슬퍼하는 친구들의 모습에 눈물을 흘리셨습니다. 로마서 12장 15절에서 성경은 "즐거워하는 자들과 함께 즐거워하고 우는 자들과 함께 울라"라고 권면합니다. 이 원칙을 예수님이 몸소 실천하고 계셨던 것입니다.

그런데 예수님은 슬퍼하기만 하지 않으셨습니다. 인간의 창조주는 세상에 죄와 죽음이 실재하는 것을 의식하고 통렬히 분노하셨습니다. 우리는 아직 하나님이 태초에 의도하신 생명이 어떤 것인지 알지 못합니다. 하나님의 형상을 지닌 우리가 죄와 죽음을 슬퍼하는 것은, 죄와 죽음에 대한 하나님의 미움을 반영하는 것입니다. 예수님의 마지막 말씀과 행동은 비통하게 끝나지 않았고 우리에게 복된 소식을 들려주고 있습니다.

students

38이에 예수께서 다시 속으로 비통히 여기시며 무덤에 가시니 무덤이 굴이라 돌로 막았거늘 39예수께서 이르시되 돌을 옮겨 놓으라 하시니 그 죽은 자의 누이 마르다가 이르되 주여 죽은 지가 나흘이 되었으매 벌써 냄새가 나나이다 40예수께서 이르시되 내 말이 네가 믿으면 하나님의 영광을 보리라 하지 아니하였느냐 하시니 41돌을 옮겨 놓으니 예수께서 눈을 들어 우러러보시고 이르시되 아버지여 내 말을 들으신 것을 감사하나이다 42항상 내 말을 들으시는 줄을 내가 알았나이다 그러나 이 말씀 하옵는 것은 둘러선 무리를 위함이니 곧 아버지께서 나를 보내신 것을 그들로 믿게 하려 함이니이다 43이 말씀을 하시고 큰 소리로 나사로야 나오라 부르시니 44죽은 자가 수족을 베로 동인 채로 나오는데 그 얼굴은 수건에 싸였더라 예수께서 이르시되 풀어놓아 다니게 하라 하시니라 (요 11:38~44)

students

상상해 보십시오. 나사로는 나흘 동안이나 죽은 채로 무덤에 있었습니다. 사람들은 썩어 가는 시체 냄새 때문에 코를 막았을 것입니다. 죽은 지 나흘이나 된 시체에서 역한 냄새가 나는 것은 당연한 일입니다. 그런데 전혀 예상치 못한 일이 일어났습니다. 예수님 말씀대로 무덤가의 돌을 옮겨 놓자, 예수님이 나사로에게 무덤 밖으로 나오라고 외치셨습니다. 그것으로 충분했습니다. 나사로가 무덤에 묻힐 때 동여맸던 베옷을 그대로 두른 채로 걸어 나왔습니다.

생각해 보면, 우리는 종종 예수님이 전능하시다고 말합니다. 그런데 여기서 예수님의 능력은 우리 예상을 뛰어넘어 죽은 사람을 부활시키는 믿기 어려운 현상으로 확장됩니다. 예수님은 산소가 나사로의 폐로 다시 들어가게 하셨습니다. 나사로의 심장이 다시 박동하기 시작했습니다! 죽는 과정에서 손상되었을 뇌도 생기를 되찾았습니다. 그리고 잃었던 생명의 기억, 사랑한 사람들에 대한 기억도 되살아났습니다. 누가 죽은 사람 가운데서 사람을 일으킬 수 있겠습니까? 오직 하나님, 하나님 한 분뿐이십니다.

알짬 교리 **99**

죽음 이후의 삶

성경은 그리스도인이 죽으면 바로 주님과 함께 있게 된다고 가르칩니다(눅 23:43; 고후 5:8). 어떤 이들은 신자들이 장래에 부활할 때에야 최종적인 상태가 될 것(계 6:10~11)임을 감안하여, 이 상태를 '중간 상태'라고 부릅니다. 그리스도 안에 있지 않은 이들은 죽은 후에 고통 가운데 놓이게 되며, 종말에는 심판을 받게 됩니다(눅 16:19~31).

그리스도와의 연결

하나님은 왜 우리가 어려움을 겪게 하시고, 왜 어떤 것은 우리에게 허락하면서 또 어떤 것은 허락하지 않으시는지를 생각해 본 적이 있나요? 예컨대, 하나님은 왜 나사로와 그의 가족이 시련을 겪게 하셨을까요? 그것은 하나님의 영광을 위해서입니다. 거듭 말하거니와, 하나님의 관점은 우리의 관점과 다릅니다. 하나님은 하나님의 영광과 우리의 안녕을 위해 때로 우리에게 시련을 주십니다.

우리는 성경의 진리로 자신의 사고방식을 수정해야 합니다. 예수님은 죽은 나사로를 일으키셨고, 그 현장을 사람들이 목격하게 하셨습니다. 이런 일이 가능할까요? 누가 그럴 수 있나요? 여기서 쟁점은 바로 관점입니다. 하나님께 너무 힘든 일은 아무것도 없습니다.

5~10분

하나님이 들려주시는 이야기는 오늘을 사는 나와 늘 연결되어 있습니다. 아래 질문에 답하면서 성경 이야기가 내 이야기와 어떻게 연결되는지 생각해 봅시다.

▶ 자신이 마리아나 마르다나 나사로라고 생각해 보세요. 예수님이 더디 오실 때 어떤 기분이 들까요? 친구로 여겼던 예수님의 우정에 관해 어떻게 생각했을까요?
이 질문에 관한 대답은 다양할 것입니다.

▶ 믿는다는 것은 무엇일까요? 어려움을 겪는 상황에서 하나님을 믿기가 어려운 이유는 무엇일까요?
감정이 고조되거나 극한 슬픔을 겪게 되면, 우리를 향한 하나님의 선하심을 믿지 못하게 되거나 불신앙 가운데 고뇌하게 됩니다. 그러나 하나님을 신뢰하는 것은 감정에 반응하는 것보다 중요합니다. 우리는 하나님이 우리를 위해 행하신다는 진리 위에 굳게 서야 합니다.

▶ 예수님이 슬픔을 드러내시는 모습을 보고, 고통받는 사람들을 향한 하나님의 연민을 깨닫게 되나요?
이 질문에 관한 대답은 다양할 것입니다.

▶ 우는 자와 함께 우는 것을 실천하는 방법에는 어떤 것이 있을까요?
이 질문에 관한 대답은 다양할 것입니다.

하나님의 이야기
하나님이 그분의 아들
예수 그리스도를 통해
우리를 구속해 주신 이야기

우리의 이야기
우리의 이야기가
하나님의 이야기와
만나는 곳

The Gospel Project

YOUR MISSION

생 각

나사로가 부활하는 놀라운 이야기에서 두 가지의 중요한 사실을 깨닫게 됩니다. 첫째, 하나님이 적절하다고 여기시는 때는 우리가 적절하다고 여기는 때와 같지 않다는 것입니다. 시기에 대한 하나님의 관점은 우리의 것과 다릅니다. 둘째, 하나님이 생명을 보시는 시각은 우리가 보는 것과 같지 않습니다. 생명에 대한 하나님의 관점은 우리의 것과 다릅니다. 이것을 생각해 보세요. 하나님은 시간에 구애받지 않으시며, 시간의 한계를 초월하여 섭리하십니다. 하나님은 사람이 죽어도 다시 살 수 있음을 아시므로 이 세상에서 한 사람의 죽음은 하나님의 섭리에 지장을 주지 않습니다.

- 나사로가 부활한 기적은 우리 삶에 어떤 변화를 가져올까요?
  이 질문에 관한 대답은 다양할 것입니다.

- 어려운 상황에서 하나님을 신뢰하는 일이 어떻게 하나님을 영화롭게 할까요?
  이 질문에 관한 대답은 다양할 것입니다.

마 음

예수님은 우리의 친구이시며, 죽은 사람을 다시 살리는 구주이십니다. 예수님은 육체적으로 죽은 사람뿐만 아니라 영적으로 죽은 사람도 살리실 수 있습니다. 인간은 죄로 인해 하나님과 단절되었습니다. 이 단절된 관계는 예수님이 십자가에서 성취하신 일을 통해서만 다시 이어질 수 있습니다. 우리가 살 수 있게 된 것은 예수님이 우리 죄의 대가를 대신 치르기 위해 돌아가신 덕분입니다. 예수님이 우리를 위해 하신 일 때문에 우리에게 남은 유일한 책무는 우리 삶을 주님께 바치고, 주님을 우리 생명으로 영접하는 일입니다.

- 영적으로 구원받는 것을 '부활'이란 말로 표현할 수 있을까요?
  사람이 거듭난다는 것은 그 사람이 그리스도 안에서 영적으로 죽었다가 영적으로 다시 살아났다는 의미입니다(엡 2:5).

- 영적 부활의 실재와 육체적 부활의 소망을 함께 지지하는 일이 왜 중요할까요?
  예수님이 두 가지를 모두 힘주어 강조하셨기 때문입니다. 우리 안에서 하나님이 하시는 일은 미완성 상태로 계속되다가 몸이 부활할 때 비로소 완성됩니다.

행 동

빠르게 살아가는 삶을 생각해 보세요. 전자레인지, 차에 탄 채로 햄버거 주문하기, 온라인 쇼핑 등이 있을 것입니다. 우리는 하고 싶을 때 당장 할 수 있기를 원합니다. 불행하게도, "빨리 내놔"와 "당장 해 줘" 같은 사고방식을 하나님께도 적용합니다. 그러나 하나님은 하나님의 시간표에 따라 일하십니다. 하나님은 우리에게 필요한 것을 우리에게 필요할 때에 주십니다. 필요한 때에 하나님의 뜻대로 이루십니다. 하나님은 무엇이 최고이며 언제가 적기인지를 아시기 때문입니다.

다음 모임까지
에스겔 1~8장을
읽어 보세요.

- 이 진리는 오늘날 살면서 직면하는 어려움을 해결하는 방식에 어떤 영향을 끼칠까요?
  이 질문에 관한 대답은 다양할 것입니다.

- 하나님의 때에 하나님이 일하시기를 기다리는 동안 얻은 중요한 교훈이 있나요?
  이 질문에 관한 대답은 다양할 것입니다.